古典·哲学时代

老子研究

陈柱 / 著　马东峰 / 主编

北京理工大学出版社

《古典·哲学时代》编委会

主　　编：马东峰
执行主编：周大力
编　　委：王钦刚　华　亮　李艳洁
　　　　　王　洁　河红联　刘立苹
　　　　　王晶瑾　马　达

自　序

柱自去年秋，为诸生讲《老子》，爰著《老子集训》，略采诸家之说，参以己见，意欲使之粗明训诂，稍通玄恉也。既课毕，爰复授此八篇，以与《集训》为一经一纬之用焉。既毕业，乃为之序，曰：

呜呼！老子之学，盖一极端自由平等之学也！知此者，其唯清之严又陵乎？其言曰："黄老之道，民主之国之所用也，故能长而不宰，无为而无不为。君主之国，未有能用黄老者。汉之黄老，貌袭而取之耳。"呜呼！吾读其说。不禁重为老子悲也！夫以酷爱自由平等之学说，不为天下后世之学者所知，而为少数狡诈者貌袭，转以其所以欺天下愚后世者，归功于老子。夫老子岂敢受其功哉？

盖尝试论之：老子唯欲求夫平等自由，故对于古来君主，欲以恩德市民，聪明耀众，以遂其奴隶亿兆、鞭笞天下之愿者，不得不深恶痛绝之。故为说以告之曰："上德不德，是以有德；下德不失德，是以无德。"又曰：

"天地不仁，以万物为刍狗；圣人不仁，以百姓为刍狗。"盖一有仁之心存焉，则望报之念斯起，而所谓仁者已立成市道，异夫天地所以生万物之心矣。夫存于心者曰仁，见于行事者曰为。爱人当本不仁之心，则为政当为无为之政。故虽有政府，爱民治国，不足以言功，不足以言德。夫然：则一时之为政者，不足以劳吾民之爱戴，而封建世袭之根据，乃于是乎无所托足矣。此老子之所以为民主之治也。

知此者，唯庄周最贤，故掊击政府亦最力，以至智为大盗积，至圣为大盗守。大盗者何，则政府是已。故曰："窃钩者诛，窃国者为诸侯，诸侯之门，而仁义存。"然其言之也益肆，而复古之情，亦未免太过。在老子之意，不过缅想上古无政府之时，其人民之自由平等，远非封建阶级生成以后所能梦想，而庄子则欲一切反之容成、大庭之世矣；在老子不过欲为于无为，学如不学，以灭阶级之竞争，而庄子则专务夫所谓绝圣弃知者矣。此庄周学老之失，而后世之复古派，所藉以游心于太古者也。

韩非则不然，以老子不仁之恉、无为之说，尽纳之于法术之中，以谓能守乎此，乃能无为而无不为矣。于是大反自由之说，力崇干涉之谈，以自然为不足贵，而唯人为之是争。故明古不如今，而今无法古之必要。盖将老子刍狗百姓之说，因而刍狗圣人、刍狗先王矣。及秦用之，果以翦灭诸侯之国，而封建之制度遂于是消灭。然为之太过，专用己智，乃因而焚书坑儒，二世而亡，为天下之僇笑。此韩非学老之失，又后世复古派所藉以为口实者也。

自是以后，有国者或以老子为守成之具，用兵者或视老子为权谋之家，而一切学者又或以清谈为宗，或以隐逸为主，或以导引为事，皆世主所提倡，而欲率天下于无事，以固其子孙帝王万世之业者也。是岂非与老子之初意大相刺谬者邪？嗟夫！庄生有言："为之仁义以矫之，则并与仁义而窃之。"岂知其并老子之说而亦窃之哉？此吾所以重为老子悲也！

岂非学者不能讲明之咎与？向使昔之学者，能本韩子不法古之卓识，力行庄生掊击大盗之说，则吾国自秦以后之政体，必有大异乎今日之所闻者，而今日政体革命之事，又必非今日之所云云而已矣。吾特表而出之，以见学说关系世变之巨有如是者！

十六年三月十五日
北流陈柱柱尊父序于上海大夏大学

目 录

自序 …………………………………………… 1

老子之大略 …………………………………… 1
老子之别传 …………………………………… 16
老子之文学 …………………………………… 32
老子之学说 …………………………………… 55
庄子之老学 …………………………………… 83
韩非子之老学 ………………………………… 98
庄、韩两家老学之比较 ……………………… 116
新定《老子》章句 …………………………… 131

老子之大略

司马迁《史记·老子列传》云:

老子者,楚苦县厉乡曲仁里人也,姓李氏,名耳,字伯阳,谥曰聃,周守藏室之史也。

孔子适周,将问礼于老子。老子曰:"子所言者,其人与骨皆已朽矣,独其言在耳。且君子得其时则驾,不得其时则蓬累而行。吾闻之:良贾深藏若虚,君子盛德,容貌若愚。去子之骄气与多欲,态色与淫志;是皆无益于子之身。吾所以告子若是而已。"孔子去,谓弟子曰:"鸟,吾知其能飞;鱼,吾知其能游;兽,吾知其能走。走者可以为罔,游者可以为纶,飞者可以为矰;至于龙,吾不能知,其乘风云而上天。吾今日见老子,其犹龙邪?"

老子修道德,其学以自隐无名为务。居周,久之,见周之衰,乃遂去。至关,关令尹喜曰:"子将隐矣,强为我著书。"于是老子乃著书上下篇,言道德之意，五千余言，而去，莫知其所终。

或曰："老莱子，亦楚人也，著书十五篇，言道家之用，与孔子同时云。"

盖老子百有六十余岁，或言二百余岁，以其修道而养寿也。

自孔子死之后百二十九年，而《史记》周太史儋见秦献公曰："始秦与周合而离，离五百岁而复合，合七十岁而霸王者出焉。"或曰："儋即老子。"或曰："非也。"世莫知其然否。老子，隐君子也。

老子之子名宗，宗为魏将，封于段干。宗子注，注子宫，宫玄孙假，假仕于汉孝文帝。而假之子解为胶西王卬太傅，因家于齐焉。

世之学老子者则绌儒学，儒学亦绌老子。道不同，不相为谋，岂谓是邪？李耳无为自化，清静自正。

《史记》此传多疑盖之辞，学者多惑焉。清儒毕沅作《老子道德经考异序》，辨之云：

> 沅案：古聃、儋字通。《说文解字》有聃字，云："耳曼也。"又有儋字，云："垂耳也，南方瞻耳之国。"《大荒北经》《吕览》瞻耳字并作儋。又《吕览》老聃字，《淮南王》书瞻耳字皆作耽。《说文解

字》又有耽字，云："耳大垂也。"盖三字声义相同，故并借用之。郑康成云："老聃，古寿考者之号。"斯为通论矣。老子与老莱子是二人。老子苦县人，老莱子楚人。《史记》老莱子著书十五篇，《艺文志》作十六篇，亦为道家之言，且与孔子同时，故或与老子混而莫辩。沅又案："古又有莱氏，故《左传》有莱驹。"老莱子应是莱子而称老，如列御寇师老商氏以商氏而称老义同。当时人能久生不死皆以老推之矣，亦无异说焉。庄子云："孔子西藏书于周室，往见老聃。"又云："孔子南之沛见老聃。"又云："阳子居南之沛，老聃西游秦，邀于郊，至于梁而遇老子。是孔子问礼之老子，即著《道德》书之老子，不得以其或在沛或在周而疑之。"

毕氏此文盖辨老子与老莱子为二人，而与太史儋则为一人，而孔子问礼之老子亦即著《道德经》之老子也。汪中作《老子考异》，其所说亦有异同。其言云：

《史记·孔子世家》云："南宫敬叔与孔子俱适周问礼，盖见老子云。"《老庄申韩列传》云："孔子适周，将问礼于老子。"按：老子言行，今见于《曾子问》者凡四。是孔子之所从学者可信也。夫助葬而遇日食，然且以见星为嫌，止枢以听变，其谨于礼也如是；至其书则曰："礼者忠信之薄，而乱之首也。"下殇之葬，称引周召、史佚，其尊信前哲也如是；而其书则曰："圣人不死，大盗不止。"彼此乖违甚矣。故郑《注》谓古寿考者之称。黄东发《日钞》亦疑之，而皆无以辅其说。其疑一也。《本传》云："老子，楚苦县厉乡曲仁里人也。"又曰："周守藏室之史也。"按周室既东，辛有入晋，司马适秦，史角在鲁；王官之族，或流播于四方；列国之产，惟晋悼尝仕于周。其他固无闻焉。况楚之于周，声教中阻，又非鲁郑之比。且古之典籍旧闻，惟在瞽史，其人并世官宿业，羁旅无所置其身，其疑二也。《本传》又云："老子，隐君子也。"身为王官，不可谓隐，其疑三也。今按：《列子》"黄帝""说符"二篇，凡三载列子与关尹子答问之语。而列子与郑子阳同时，见于本书。《六国表》郑杀其相驷子阳在韩列侯二年，上距孔子之没凡八十二年，关尹子之年世既可考而知，则为关尹子著书之老子其年世亦从可知矣。文子《精诚篇》引老子曰："秦楚燕魏之歌，异传而皆乐。"按：燕终春秋之世，不通盟会；《精诚篇》称燕自文侯之后，始与冠带之国。文公元年，上距孔子之殁，凡百二十六年，老子以燕与秦、楚、魏并称，则老子已及见文公之始强矣。又魏之建国，上距孔子之殁，凡七十五年；而老子以之与三国齿，则老子已及见其侯矣。《列子·黄帝》篇载老子教杨朱事。《杨朱》篇禽子曰："以子之言问老聃、关尹，则子言当矣；以吾言问大禹、墨翟，则吾言当矣。然则朱固老子之弟子也。"又云："端木叔者，子贡之世也。"又云："死也无瘗埋之资。"又云："禽滑厘曰：端木叔狂人也，辱其祖矣。段干生曰：端木叔达人也，德过其祖矣。"朱为老子之弟子，而及见子贡之孙之死，则朱所师之老子，不得与孔子同时也。《说苑·理政》篇杨朱见梁王，言治天下如运诸掌，梁之称王自惠王始。惠王元年，上距孔子之殁，凡百十八年。杨朱已及见其王，则朱所师事之老子其年世可知矣。《本传》云："见周之衰，乃遂去，至关。"《抱朴子》以为散关，又以为函谷。按：散关远在岐州；秦函谷关在灵宝县，正当周适秦之道。关尹又与郑之列子相接，则以函谷为是。函谷之置，书无明文。当孔子之世，二崤犹为晋地；桃林之塞，詹瑕实守之；惟贾谊《新书·过秦》篇云："秦孝公据崤函之固。"则是旧有其地矣。秦自躁、怀以后，数世终衰，至献公而始大。故《本纪》献公二十一年，与晋战于石门，斩首六万；二十三年，与魏战少梁，虏其将公孙痤。然则是关之置，实在献公之世矣。由是言之，孔子所问礼者聃也，其人为周守藏之史；言与行，则《曾子问》所载者是也。周太史儋见秦献公，《本纪》在献公十一年，去魏文侯之殁十三年，而老子之子宗为魏将，封于段干，则为儋之子无疑；而言道德之意五千余言者儋也，其入秦见献公即去周至关之事。《本传》云："或曰，儋，即老子。"其言韪矣。至孔子称老莱子，今见于《大傅礼·卫将军文子》篇，《史记·仲尼弟子列传》亦载其说，而所云"贫而乐"者，与隐君子之文正合。老莱子之为楚人，又见《汉书·艺文志》，盖即苦县厉乡曲仁里也。而老聃之为楚人，则又因老莱子而误。故《本传》老子语孔子："去子之骄色与多欲，态色与淫志。"而《庄子·外物》篇则曰："老莱子谓孔子，去汝躬矜与汝容知。"《国策》载老莱子教孔子语，《孔丛子·抗志》篇以为老莱子语子思，而《说苑·敬慎》篇则以为常枞教老子。然则老莱子之称老子也，旧矣，实则三人不相蒙也。若庄子载老聃之言，率原于道德之意，而《天道》篇载孔子西藏书于周室，尤误后人。寓言十九，固已自揭之矣。

汪氏以老子与老莱子异，与毕说同；而以著《道德经》之老子即儋，亦与毕同；惟以著《道德经》之老子非孔子问礼之老子，则与毕说异。近人马叙伦辨之云：

> 按《史记·老子传》，虽若疑老子与老莱子为一人，然《仲尼弟子传》固判其为二人矣。

又云：

> 毕氏徒以聃、儋音可通假，而不覈其年之相去远也，亦将以老子果二百余岁邪？汪氏之说，似覈矣，然所据者多出《列子》与《文子》，二书皆汉晋以后人伪作也。

又云：

> 老子去周至关，当是至周竟上，即以《庄子·寓言》篇，老子西游于秦为证，则自沛之秦越关必多，亦未必即为函谷，不能以是谓老子即儋。老子与孔子同时，使老寿过孔子，则其孙许得为魏将，犹子夏且为文侯师。然则汪氏以著《道德》上下篇者为儋，殊无确据。而聃与儋为二人，则固以年可推而知也。

马氏之说，比毕汪为进矣。然吾以为《史记》云："或曰：老莱子亦楚人也，著书十五篇，言道德家之用"，与上文云："于是老子乃著书上下篇，言道德之意，五千余言而去"，其叙述显为二人，未尝疑为一人也。世人疑《史记》以老莱子与老子为一人者，盖本《史记正义》。《正义》云："太史公疑老子或是老莱子，故书之。"此《正义》之误解史文也。史公之书老莱子，盖以与老子为宾耳，岂尝有疑为一人之意哉？史文又云："盖老子百有余岁，或言二百余岁，以其修道而养寿也。自孔子死之后，百二十九年，而史记周太史儋见秦献公曰：始秦与周合而离，离五百岁而复合，合七十岁而霸王者出焉。或曰儋即老子，或曰非也，世莫知其然否。老子，隐君子也。老子之子名宗，宗为魏将，封于段干。"此盖汉人以老子之学为神仙之术，而傅会为之说；史公采以入传，而讽刺之意甚显，观其"或曰非也，世莫知其然否"二语，可知矣。而于其下复大书特书老子为隐君子，有子名宗，为魏将，则其非神仙可知。下又云："宗子注，注子宫，宫玄孙假，假仕于汉孝文帝。而假之子解为胶西王卬太傅。"则老子之后嗣，历历可见如此，则儋倘果为老子，老子之后嗣，岂不知之，而遽数典忘祖，待后人之疑其是非邪？是知儋决非老子，史公之意盖见乎言外矣。后人不善读史文，妄自误会，而起纷纷之辨，亦可谓作茧自缚者矣。至著书上下篇之老子，与孔子问礼之老子，一谨于礼，一薄于礼，言虽相乖，理实无谬。盖唯深知礼之意，而后能深知礼之失；亦犹其精研于学，而后言"学不学"也。汪氏之说，岂尽然哉？若夫，《论语·述而》篇之"老彭"，郑康成以为：老，老聃；彭，彭祖；包咸以为老彭，殷大夫；皇侃以为老彭，彭祖年八百岁。如包、皇说，则"老彭"为彭祖一人，与著《道德经》之老子无涉；如郑说，则"老彭"是二人，一为老聃，即著《道德经》之老子，一为彭祖；然彭在老先，何以经不称彭老？简朝亮据此驳难，不为无见也。近人马叙伦云：

> 彭祖、老彭非一人，《汉书·古今人表》分之，是也。殷贤大夫之老彭与老子非一人，以其年相距甚远也。至于《论语》之老彭是老子，知者。孔子之言曰："述而不作，信而好古，窃比于我老彭。"商之老彭，其事见于《大戴礼》者不相吻合；而老子五千文中，谷神不死四语，伪《列子》引为黄帝书，黄帝虽无书，而古来传有此说，后人仰录为书则许有之，故《吕氏春秋》、贾谊《新书》皆有引也。又"将欲取之，必姑予之"，此《周书》之辞也；"强梁者不得其死"，此周庙《金人铭》之辞也；"天

道无亲,常与善人",郎颢上便宜七事,以为《易》之辞;则老子盖张前人之义而说之,不自创作也。又《汉书·艺文志》道家前有伊尹、太公、辛甲、鬻子四家,则道德之旨,不始老子,而有所承。又《礼·曾子问》记四事,则并"述而不作,信而好古"之证也。此皆事据灼然。若彭之与聃,证之音读,自可通假,《说文》彭从壴彡声,则声归侵类。然证之甲文作㱿,或作㱿,则段玉裁删其声字,是也。壴边之彡,所以表鼓声之彭彭,于声类宜归阳部。《说文》綥、祊为一字。《春秋》成十八年:《左传》士魴,《公羊传》作士彭;并可证也。聃声谈类,谈、阳之通,若《国策》更嬴虚发而鸟下,伪《列子·汤问》篇更作甘,而《说文》諴重文作詌,《诗·桑柔》瞻、相、臧、肠、狂协音,并其证矣。然使彭如旧说,从壴,彡声,则侵、谈相通,古亦有征:《少牢礼》有司彻乃燅,古文燅作寻;《仪礼·士冠礼》执以待于西坫,古文坫为襜;《周礼·钟氏》以朱湛丹秫,注读如渐车帷裳之渐,亦并其例矣。然则老子之字聃,而《论语》作彭者,弟子以其方言记之耳。若此事据,古籍多有,《春秋》哀十年:《左传》薛伯夷卒,《公羊传》夷作寅;其一例也。又《论语》加"我"字于"老彭"上,前儒以为亲之之辞,是也。盖老子宋人而子姓，孔子之同姓，故然。

马说颇为近之。今按《老子》上、下篇中称述古闻者，颇为不少，略录如下：

> 执古之道，以御今之有。能知古始，是谓道纪。（十四章）
> 古之善为道者，微妙玄通，深不可识。（十五章）
> 古之所谓曲则全者，岂虚言哉，诚全而归之。（二十二章）
> 昔之得一者，天得一以清；地得一以宁；神得一以灵；谷得一以盈；万物得一以生；侯王得一以为天下贞。（三十九章）
> 盖闻善摄生者，陆行不遇兕虎；入军不被甲兵；兕无所投其角；虎无所措其爪；兵无所容其刃。（五十章）
> 古之善为道者，非以明民，将以愚之。（六十五章）
> 用兵有言：吾不敢为主而为客，不敢进寸而退尺。（六十九章，按：上章之末云是谓配天古之极，或说当作是谓配天之极，古字当属此章之首，古下当有之字，此文当为古之用兵者有言其说是也。）

此皆"述而不作，信而好古"之证矣。而《韩非子·喻老》篇尤多征引古事，以说《老子》，则亦其明验也。则谓老彭即老聃，亦颇近事实。然老子之述古，盖深悉于古事之得失，而能创作新哲学者；故上下篇无称述黄帝、尧、舜、禹、汤、文、武等名，均与诸子卓然独异。而《庄子书》所引老子之言，则多掊击黄帝、尧、舜之说。至流而为韩非，则且深恶痛绝于称道先王矣。此学者所不可不知者也。

然则老聃何以冠以"老"字？何以又称"老子"乎？郑康成以"老子"为寿考之称；葛玄以为生而皓首，故号老子；清儒姚鼐据《庄子》载孔子、阳子居皆南之沛见老聃，沛为宋地，而宋有老氏，老子者宋人子姓，老其氏。胡适云：

老子名耳，字聃，姓李氏。何以又称老子呢？依我看来，那些"生而皓首，故称老子"的话，固不足信；"以其年老，故号其书为老子"，也不足信。我以"老子"之称，大概不出两种解说：（一）"老"或是字。春秋时人往往把字用在名的前面，例如叔梁（字）纥（名）、孔父（字）嘉（名）、正（字）考父（名）、孟明（字）视（名）、孟施（字）舍（名）皆是。《左传》文十一年、襄十年，《正义》都说："古人连言名字者，皆先字后名。"或者老子本名聃字耳一字老,古人名字同举,先说字而后说名,故战国时的书皆称老聃。此与人称叔梁纥、正考父,都不举其姓氏,正同一例。又古人的"字"下可加"子"字、"父"字等字,例如孔子弟子冉求字有,可称"有子",故后人又称"老子"。这是一种说法。(二)"老"或是姓。古代有氏、姓的区别。寻常的小百姓,各依所从来为姓,故称"百姓""万姓"。贵族于姓之外,还有氏,如以国为氏、以官为氏之类。老子虽不曾做大官,或者源出大族,故姓老而氏李。后人不懂古代氏族制度,把氏、姓两事混作一事,故说姓某氏,其实这三字是错的。老子姓老,故人称老聃,也称老子。这也可备一说。

以上诸说,康成之说,属望文生训;葛玄之说,近荒诞不经;姚氏之说,无以解于《史记》姓李之言;胡氏之说,为颇近之;然吾以谓李、老双声,老聃犹言李聃,老子犹言李子。李古或通里,故李克古或作里克(见《春秋·闵二年》《左传》及《吕览·先己篇注》,又《史记·魏世家》及《韩诗外传》);理亦作李(见《管子·大匡》篇及《五行》篇),在古则为里、为理,在后世则为李;方言音转,则李、老双声,犹离、娄为双声也。故老聃亦有称李聃者(见《六臣文选·景福殿赋》善注)然古来皆称老子而独无称李子者，犹《论语》称老彭而不称老聃，方言习惯使之然也。

然则老子之名字为何邪？此则《史记》虽有记载，当据王念孙《读书杂志》订正。王念孙云：

> 《史记》原文本作"名耳，字聃，姓李氏"。今本姓李氏，在名耳之上，字聃作"字伯阳，谥曰聃"，此后人取神仙家书改窜之耳。《索隐》本书"名耳字聃姓李氏"七字，注云：按许慎云：聃，耳曼也；故名耳字聃。有本字伯阳，非正也。老子号伯阳父，此《传》不称也。据此则唐时本已有作伯阳者，而小司马引《说文》以正之。又按：《经典释文序录》曰：老子者，姓李，名耳，字伯阳。《史记》云："字聃。"《文选·征西官属送于涉阳侯诗注》引《史记》曰："老子，字聃。"《游天台山赋注》及《后汉书·桓帝纪注》并引《史记》曰："老子名耳，字聃，姓李氏。"则陆及二李所见本，盖与小司马同。而今本云云，为后人所改窜，明矣。又按：《文选·反招隐诗注》引《史记》曰："老子名耳，字聃。"又引《列仙传》曰："李耳，字伯阳。"然则"字伯阳"，乃《列仙传》文，若史公以老子为周之伯阳父，则不当列于管仲之后矣。

王校甚是。柱据此并颇疑,或说《史记》"盖老子百有六十余岁"至"或曰儋即老子,或曰非也,世莫知其然否"一段,为后人妄加,非史公之本文,其言不为无见,唯无确据耳。

老子之别传

太史公《史记·老子列传》，余已录于上篇，且略为论定矣。然吾观《庄子》所录老子之言行，有深足以补史文所不逮者。庄子书虽多寓言，然其言老子，则不特比后世所为《神仙传》者流为徵实，且比之《史记》尤无迷离悦忽之言；故今采录其文，而为斯传。

以本为精，以物为粗，以有积为不足，澹然独与神明居。古之道术有在于是者，关尹、老聃闻其风而悦之。建之以常无有，主之以太一；以濡弱谦下为表，以空虚不毁万物为实。

关尹曰："在己无居，形物自著。其动若水，其静若镜，其应若响。芴乎若亡，寂乎若清。同焉者和，得焉者失。未尝先人，而尝随人。"

老聃曰："知其雄，守其雌，为天下溪。知其白，守其辱，为天下谷。"人皆取先，己独取后，曰"受天下之垢"。人皆取实，己独取虚。无藏也故有余，㴙然而有余。其行身也徐而不费,无为也而笑巧。人皆求福,己独曲全,曰"苟免于咎"。以深为根,以约为纪,曰:"坚则毁矣,锐则挫矣"。常宽容于物,不削于人。可谓至极。关尹、老聃乎,古之博大真人哉!"(《天下》篇先录此段,见老子学问之全体,为本传之论赞,略仿《史记·伯夷列传》例也。)

孔子行年五十有一,而不闻道,乃南之沛见老聃。老聃曰:"子来乎?吾闻子,北方之贤者也,子亦得道乎?"孔子曰:"未得也。"老子曰:"子恶乎求之哉?"曰:"吾求之于度数,五年而未得也。"老子曰:"子又恶乎求之哉?"曰:"吾求之于阴阳,十有二年而未得。"老子曰:"然。使道而可献,则人莫不献之于其君;使道而可进,则人莫不进之于其亲;使道而可以告人,则人莫不告其兄弟;使道而可以与人,则人莫不与其子孙。然而不可者,无佗也,中无主而不止,外无正而不行。由中出者,不受于外,圣人不出;(郭注:由中出者,圣人之道也。外有能受之者,乃出耳。)由外入者,无主于中,圣人不隐。(郭注:由外入者,假学以成性者也。虽性可学成,然要当内有其质。若无主于中,则无以藏圣道也。)名,公器也,不可多取;仁义,先王之蘧庐也,止可以一宿而不可久处,觏而多责。古之至人,假道于仁,托宿于义,以游逍遥之虚，食于苟简之田，立于不贷之圃。逍遥，无为也；苟简，易养也；不贷，无出也；古者谓是采真之游。以富为是者，不能让禄；以显为是者，不能让名；亲权者，不能与人柄。操之则栗，舍之则悲，而一无所鉴，以阚其所不休者，是天之戮民也。怨、恩、取、与、谏、教、生、杀八者，正之器也。唯循大变无所湮者为能用之。故曰：正者，正也。其心以为不然者，天门弗开矣。"（《天运》篇次录此段，以见老子所居之地。）

孔子见老聃而语仁义。老聃曰："夫播穅眯目，则天地四方易位矣；蚊虻噆肤，则通昔不寐矣。夫仁义憯然，乃愤吾心，乱莫大焉。吾子使天下无失其朴，吾子亦放风而动，总德而立矣，又奚傑然若负建鼓而求亡子者邪？夫鹄不日浴而白，乌不日黔而黑。黑白之朴，不足以为辩；名誉之亲，不足以为广。泉涸，鱼相与处于陆，相呴以湿，相濡以沫，不若相忘于江湖。"

孔子见老聃归，三日不谈。弟子问曰："夫子见老聃，亦将何规哉？"孔子曰："吾今乃于是乎见龙。龙合而成体，散而成章，成云气而养乎阴阳。予口张而不能嗋，予何规老聃哉？"子贡曰："然则人固有尸居而龙见，雷声而渊默，发动如天地者乎？赐亦可得而观乎？"遂以孔子声见老聃。

老聃方将倨堂而应微曰："予年运而往矣，子将何以戒我乎？"子贡曰："夫三王五帝之治天下不同，其系声名一也；而先生独以为非圣人，如何哉？"老聃曰："小子少进！子何以谓不同？"对曰："尧授舜，舜授禹，禹用力而汤用兵，文王顺纣而不敢逆，武王逆纣而不肯顺，故曰不同。"老聃曰："小子少进！余语汝三皇五帝之治天下；黄帝之治天下，使民心一，民有其亲死不哭而民不非也。尧之治天下，使民心亲，民有为其亲杀其杀而民不非也。舜之治天下，使民心竞，民孕妇十月生子，子生五月而能言，不至乎孩而始谁，则人始有夭矣。禹之治天下，使民心变，人有心而兵有顺，杀盗非杀人，自为种而天下耳，（郭注：不能大齐万物，而人人自别斯人，自为种也。承百代之流，而会乎当今之变，其弊至于斯者，非禹也，故曰天下耳。言圣知之迹非乱天下，而天下必有斯乱。）是以天下大骇，儒墨皆起。其作始有伦，而今乎妇女，（郭庆藩云家世父曰：《荀子·乐论》乱世之征：其服组，其容妇。杨倞注：妇，好貌。而今乎妇女，言诸子之兴，其旨皆有伦要，而终相与为谐好，以悦人也。）何言哉？余语汝：三皇五帝之治天下，名曰治之，而乱莫甚焉。三皇之知，上悖日月之明，下睽山川之精，中堕四时之施；其知憎于屡虿之尾,鲜规之兽,莫得安其性命之情者,而犹自以为圣人,不可耻乎,其无耻也?"子贡蹴蹴然立不安。

孔子谓老聃曰:"丘治《诗》《书》《礼》《乐》《易》《春秋》六经,自以为久矣,孰知其故矣;以奸者七十二君,论先王之道而明周、召之迹,一君无所钩用。甚矣夫!人之难说也!道之难明邪!"老子曰:"幸矣,子之不遇治世之君也。夫六经,先王之陈迹也,岂其所以迹哉?今子之所言,犹迹也。夫迹,履之所出,而迹岂履哉?夫白鶂之相视,眸子不运而风化;虫,雄鸣于上风,雌应于下风,而风化;(郭注:鶂以眸子相视,虫以鸣声相应,俱不待合而便生子,故曰风化。)类自为雌雄,故风化。性不可易,命不可变,时不可止,道不可壅。苟得于道,无自而不可;失焉者,无自而可。"

孔子不出,三月复见,曰:"丘得之矣。乌鹊孺,鱼傅沫,细要者化,有弟而兄啼。久矣夫!丘不与化为人;不与化为人,安能化人?"老子曰:"可。丘得之矣。"(《天运》篇)

孔子(原作夫子释文。夫子,仲尼也。)问于老聃曰:"有人治道若相放,可不可,然不然。辩者有言曰:'离坚白,若县寓。'若是,则可谓圣人乎?"老聃曰:"是胥易技系,劳形怵心者也。执留之狗成思,猿狙之便自山林来。(郭庆藩云家世父曰:熟玩文义,言狗留系思脱然以去,猨狙之在山林号为便捷矣,而可执之以来,皆失其性者也。)丘,予告若,而所不能闻与而所不能言。凡有首有趾、无心无耳者众,有形者与无形无状而皆存者尽无。其动,止也;其死,生也;其废,起也;此又非其所以也。有治在人,忘乎物,忘乎天,其名为忘己。忘己之人,是之谓入于天。"(《天地》篇)

孔子西藏书于周室,子路谋曰:"由闻周之征藏史有老聃者,免而归居。夫子欲藏书,则试往因焉。"孔子曰:"善。"

往见老聃,而老聃不许,于是繙十二经以说。老聃中其说,曰:"大谩,愿闻其要。"孔子曰:"要在仁义。"老聃曰:"请问仁义,人之性邪?"孔子曰:"然,君子不仁则不成,不义则不生。仁义,真人之性也,又将奚为矣?"老聃曰:"请问何谓仁义?"孔子曰:"中心物恺,兼爱无私,此仁义之情也。"老聃曰:"意,几乎后言!夫兼爱,不亦迂乎?无私焉,乃私也。夫子若欲使天下无失其牧乎?则天地固有常矣,日月固有明矣,星辰固有列矣,禽兽固有群矣,树木固有立矣。夫子亦放德而行,循道而趋,已至矣!又何偈偈乎揭仁义,若击鼓而求

亡子焉？意，夫子乱人之性也！"（《天道》篇）

孔子见老聃，老聃新沐，方将被发而干，慹然似非人。孔子便而待之，少焉，见曰："丘也眩与，其信然与？向者先生形体掘若槁木，似遗物离人而立于独也！"老聃曰："吾游心于物之初。"

孔子曰："何谓邪？"曰："心困焉而不能知，辟焉而不能言。尝为汝议乎其将：至阴肃肃，至阳赫赫。肃肃出乎天，赫赫发乎地，两者交通成和而物生焉。或为之纪，而莫见其形。消息满虚，一晦一明；日改月化，日有所为；而莫见其功。生有所乎萌，死有所乎归，始终相反乎无端，而莫知其所穷。非是也，且孰为之宗？"

孔子曰："请问游是。"老聃曰："夫得是，至美至乐也。得至美而游乎至乐，谓之至人。"

孔子曰："愿闻其方。"曰："草食之兽，不疾易薮；水生之虫，不疾易水；行小变而不失其大常也，喜怒哀乐不入于胸次。夫天下也者，万物之所一也。得其所一而同焉，则四支百体将为尘垢，而死生终始将为昼夜而莫之能滑，而况得丧祸福之所介乎？弃隶者若弃泥涂，知身贵于隶也，贵在于我而不失于变。且万化而未始有极也，夫孰足以患心！已为道者解乎此。"

孔子曰:"夫子德配天地,而犹假至言以修心;古之君子,孰能脱焉?"老聃曰:"不然。夫水之于汋也,无为而才自然矣。至人之于德也,不修而物不能离焉。若天之自高,地之自厚,日月之自明,夫何修焉?"

孔子出,以告颜回曰:"丘之于道也,其犹醯鸡与?微夫子之发吾覆也,吾不知天地之大全也。"(《田子方》篇)

孔子问于老聃曰:"今日晏间,敢问至道。"

老聃曰:"汝齐戒,疏瀹而心,澡雪而精神,掊击而知。夫道,窅然难言哉!将为汝言其崖略。夫昭昭生于冥冥,有伦生于无形,精神生于道,形本生于精,而万物以形相生。故九窍者胎生,八窍者卵生。其来无迹,其往无崖;无门无房,四达之皇皇也。邀于此者,四肢强,思虑恂达,耳目聪明,其用心不劳,其应物无方。天不得不高,地不得不广,日月不得不行,万物不得不昌,此其道与?且夫博之不必知,辩之不必慧,圣人以断之矣。若夫益之而不加益,损之而不加损者,圣人之所保也。渊渊乎其若海,巍巍乎其终则复始也。运量万物而不匮,则君子之道,彼其外与?万物皆往资焉而不匮,此其道与?"(《知北游》篇)

鲁有兀者叔山无趾,踵见仲尼。仲尼曰:"子不谨,前既犯患若是矣。虽今来,何及矣!"无趾曰:"吾唯不知务而轻用吾身,吾是以亡足。今吾来也,犹有尊足者存,吾以务全之也。夫天无不覆,地无不载,吾以夫子为天地,安知夫子之犹若是也!"孔子曰:"丘则陋矣。子胡不入乎?请讲以所闻。"

无趾出。孔子曰:"弟子勉之!夫无趾,兀者也,犹务学以复补前行之恶,而况全德之人乎?"

无趾语老聃曰:"孔丘之于至人,其未邪?彼何宾宾以学子为?彼且蕲以淑诡幻怪之名闻,不知至人之以是为己桎梏邪?"老聃曰:"胡不直使彼以死生为一条,以可不可为一贯者,解其桎梏,其可乎?"无趾曰:"天刑之,安可解。"(《德充符》篇。以上老子与孔子及孔子弟子之问答,故类录之。)

阳子居南之沛,老聃西游于秦,邀于郊,至于梁而遇老子。老子中道仰天而叹曰:"始以汝为可教,今不可也。"

阳子居不答。至舍,进盥漱巾栉,脱屦户外,膝行而前,曰:"向者,弟子欲请夫子,夫子行不闲,是以不敢;今闲矣,请问其过。"老子曰:"而睢睢盱盱,而谁与居?大白若辱,盛德若不足。"阳子居蹴然变容曰:"敬闻命矣。"

其往也，舍者迎将其家，公执席，妻执巾栉，舍者避席，炀者避灶。其反也，舍者与之争席矣。（《寓言》篇）

阳子居见老聃曰："有人于此，向疾强梁，物彻疏明，学道不倦，如是者可比明王乎？"老聃曰："是于圣人也，胥易技系，劳形怵心者也。且曰虎豹之文来田，猨狙之便、执斄之狗来籍。如是者，可比明王乎？"阳子居蹴然曰："敢问明王之治？"老聃曰："明王之治，功盖天下而似不自己，化贷万物而弗恃；有莫举名，使物自喜；立乎不测，而游于无有者也。"（《应帝王》篇。以上老子与阳子居之问答，故类录之。）

崔瞿问于老聃曰："不治天下，安藏人心？"

老聃曰："女慎无撄人心。人心排下而进上，上下囚杀，淖约柔乎刚强；廉刿雕琢，其热焦火，其寒凝冰；其疾俯仰之间，而再抚四海之外；其居也渊而静，其动也县而天；偾骄而不可系者，其唯人心乎？昔者黄帝始以仁义撄人之心，尧、舜于是乎股无胈、胫无毛，以养天下之形，愁其五藏以为仁义，矜其血气以规法度。然犹有不胜也，尧于是放讙兜于崇山，投三苗于三峗，流共工于幽都，此不胜天下也。夫施及三王，而天下大骇矣。下有桀、跖，上有曾、史，而儒、墨并起。于是乎喜怒相疑，愚知相欺，善否相非，诞信相讥，而天下衰矣；大德不同，而性命烂漫矣；天下好知，而百姓求竭矣。于是乎斤锯制焉，绳墨杀焉，椎凿决焉。天下脊脊大乱，罪在撄人心。故贤者伏处大山嵁岩之下，而万乘之君忧栗乎庙堂之上。今世殊死者相枕也，桁杨者相推也，刑戮者相望也，而儒、墨乃始离跂攘臂乎桎梏之间。意，甚矣哉！其无愧而不知耻也甚矣！吾未知圣知之不为桁杨椄槢也，仁义之不为桎梏凿枘也，焉知曾、史之不为桀、跖嚆矢也！故曰：绝圣弃知，而天下大治。"（《在宥》篇）

士成绮见老子而问曰："吾闻夫子圣人也，吾固不辞远道而来愿见，百舍重趼而不敢息。今吾观子，非圣人也。鼠壤有余蔬而弃妹之者，不仁也；生熟不尽于前，而积敛无崖。"老子漠然不应。

士成绮明日复见，曰："昔者吾有刺于子，今吾心正郤矣，何故也？"老子曰："夫巧知神圣之人，吾自以为脱焉。昔者子呼我牛也，而谓之牛；呼我马也，而谓之马。苟有其实，人与之名而弗受，再受其殃。吾服也恒服，吾非以服有服。"

士成绮雁行避影，履行遂进而问："修身若何？"老子曰："而容崖然，而目冲然，而颡頯然，而口阚然,而状义然,似系马而止也;动而持,发也机,察而审,知巧而睹于泰,凡以为不信。边竟有人焉,其名为窃。"(《天道》篇。郭注:亦如汝所行,非正人也。)

老聃之役有庚桑楚者,偏得老聃之道,以北居畏垒之山。其臣之画然知者去之,其妾之挈然仁者远之;拥肿之与居,鞅掌之为使。居三年,畏垒大攘。畏垒之民相与言曰:"庚桑子之始来,吾洒然异之。今吾日计之而不足,岁计之而有余,庶几其圣人乎?子胡不相与尸而祝之,社而稷之乎?"

庚桑子闻之,南面而不释然。弟子异之。庚桑子曰:"弟子何异于予?夫春气发而百草生,正得秋而万宝成。夫春与秋,岂无得而然哉?天道已行矣。吾闻至人,尸居环堵之室,而百姓猖狂不知所如往。今以畏垒之细民,而窃窃焉欲俎豆予于贤人之间,我其杓之人邪?吾是以不释于老聃之言。"

弟子曰:"不然,夫寻常之沟,巨鱼无所还其体,而鲵鰌为之制;步仞之丘陵,巨兽无所隐其躯,而孽狐为之详。且夫贤尊授能,先善与利,自古尧、舜以然,而况畏垒之民乎?夫子亦听矣。"庚桑子曰:"小子来!夫函车之兽,介而离山,则不免于罔罟之患;吞舟之鱼,砀而失水,则蚁能苦之。故鸟兽不厌高,鱼鳖不厌深。夫全其形生之人,藏其身也,不厌深眇而已矣。且夫二子者，又何足以扬称哉？是其于辩也，将妄凿垣墙而殖蓬蒿也。简发而栉，数米而炊，窃窃乎又何足以济世哉！举贤则民相轧，任知则民相盗，之数物者，不足以厚民。民之于利甚勤，子有杀父，臣有杀君，正昼为盗，日中穴阫。吾语女：大乱之本，必生于尧、舜之间，其末存乎千世之后；千世之后，其必有人与人相食者也。"

南荣趎蹴然正坐曰："若趎之年者已长矣，将恶乎托业以及此言邪？"庚桑子曰："全汝形，抱汝生，无使汝思虑营营；若此三年，则可以及此言矣。"南荣趎曰："目之与形，吾不知其异也，而盲者不能自见；耳之与形，吾不知其异也，而聋者不能自闻；心之与形，吾不知其异也，而狂者不能自得。形之与形亦辟矣，而物或间之邪？欲相求而不能相得。今谓趎曰：'全汝形，抱汝生，勿使汝思虑营营。'趎勉闻道达耳矣！"庚桑子曰："辞尽矣。曰：奔蜂不能化藿蠋；越鸡不能伏鹄卵，鲁鸡固能矣。鸡之与鸡，其德非不同也，有能与不能者，其才固有巨小也。今吾才小，不足以化子，子胡不南见老子？"

南荣趎赢粮，七日七夜至老子之所。老子曰："子自楚之所来乎？"南荣趎曰："唯。"老子曰："子何与人偕来之众也？"南荣趎惧然顾其后。老子曰：

"子不知吾所谓乎？"南荣趎俯而惭，仰而欢，曰："今者吾忘吾答，因失吾问。"老子曰："何谓也？"南荣趎曰："不知乎？人谓我朱愚；知乎，反愁我躯。不仁则害人，仁则反愁我身。不义则伤彼，义则反求我己。我安逃此而可？此三言者，趎之所患也，愿因楚而问之？"老子曰："向吾见若眉睫之间，吾因以得汝矣。今汝又言而信之，若规规然若丧父母，揭竿而求诸海也，女亡人哉！惘惘乎！汝欲反汝情性而无由入，可怜哉！"

南荣趎请入就舍，召其所好，去其所恶；十日自愁，复见老子。老子曰："汝自洒濯，热哉郁郁乎！然其中津津乎犹有恶也！夫外韄者不可繁而捉，将内揵；内韄者不可缪而捉，将外揵。外内韄者，道德不能持，而况放道而行者乎？"南荣趎曰："里人有病，里人问之，病者能言其病，然其病病者犹未病也。若趎之闻大道，譬犹饮药加病也。趎愿闻卫生之经而已矣。"老子曰："卫生之经，能抱一乎？能勿失乎？能无卜筮而知凶吉乎？（原作凶吉，依王念孙校改作凶吉。）能止乎？能已乎？能舍诸人而求诸己乎？能翛然乎？能侗人乎？能儿子乎？儿子终日嗥而嗌不嗄，和之至也；终日握而手不掜，共其德也；终日视而目不瞚，偏不在外也。行不知所之，居不知所为，与物委蛇而同其波,是卫生之经已。"南荣趎曰:"然则是至人之德已乎?"曰:"非也,是乃所谓冰解冻释者。能乎?夫至人者,相与交食乎地,而交乐乎天,不以人物利害相撄,不相与为怪,不相与为谋,不相与为事,翛然而往,侗然而来,是谓卫生之经已。"曰:"然则是至乎?"曰:"未也。吾固告汝曰:能儿子乎?儿子动不知所为,行不知所之,身若槁木之枝,而心若死灰;若是者祸亦不至,福亦不来。祸福无有,恶有人灾也?"(《庚桑楚》篇)

柏矩学于老聃,曰:"请之天下游。"老聃曰:"已矣!天下犹是也。"又请之,老聃曰:"汝将何始?"曰:"始于齐。"

至齐,见辜人焉,推而强之,解朝服而幕之,号天而哭之,曰:"子乎!子乎!天下有大菑,子独先离之!"曰:"莫为盗,莫为杀人?荣辱立,然后睹所病;货财聚,然后睹所争。今立人之所病,聚人之所争,穷困人之身,使无休时,欲无至此,得乎?古之君民者,以得为在民,以失为在己;以正为在民,以枉为在己;故一形有失其形者,退而自责。今则不然,匿为物而愚不识,大为难而罪不敢,重为任而罚不胜,远其涂而诛不至。民知力竭,则以伪继之;日出多伪,士民安取不伪?夫力不足则伪,智不足则欺，财不足则盗。盗窃之行，于谁责而可乎？"（《则阳》篇。以上老子与其徒役等问答，故类录之。）

老聃（原作夫子。成疏云：庄周师老君，故呼为夫子。）曰："夫道，于大不终，于小不遗，故万物备。广广乎其无不容也！渊乎其不可测也！形德仁义，神之末也，非至人孰能定之？夫至人有世，不亦大乎？而不足以为之累；天下夺柄而不与之偕，审乎无假而不与利迁；极物之真，能守其本；故外天地，遗万物，而神未尝有所困也。通乎道，合乎德，退仁义，宾礼乐，至人之心有所定矣。"（《天道》篇。以上老子语附记于此，仿《史记·孔子世家》例也。）

老聃死，秦失吊之，三号而出。弟子曰："非夫子之友邪？"曰："然。""然则吊焉若此可乎？"曰："然。始也，吾以为其人也，而今非也。向吾入而吊焉，有老者哭之，如哭其子；少者哭之，如哭其母。彼其所以会之，必有不蕲言而言，不蕲哭而哭者，是遁天倍情，忘其所受，古者谓之遁天之刑。适来，夫子时也；适去，夫子顺也。安时而处顺，哀乐不能入也，古者谓是帝之县解。指穷于为薪，火传也，不知其尽也。"（《养生主》篇。以上老子死事录之于末，以见老子之终。）

老子之文学

昔司马谈论《六家要旨》，称："道家无为，又曰无不为，其实易行，其辞难知。"太史公于《老庄申韩列传》后，亦称："老子所贵道，虚无因应，变化于无为，故著书辞称微妙难识。"又云："老子深远矣。"然则老子之文辞，其为古人所重可知。虽然，此皆指其内容而言，未及言其外式也。吾尝以谓文之理想为内容，文之音韵形色为外式。文之内容，犹人之精神；文之外式，犹人之形体；被锦绣于垂死之人，固不能以其为美；然残生人之形体，使手足偏枯，语言喑哑，则其精神岂有不受其损失者哉？孟子曰："西子蒙不洁，则人皆掩鼻而过之。"是则外式有不可不注意者矣。夫手足偏枯，言语喑哑，则精神必受其累；反而言之，手足敏捷，语言清晰，则其人之精神岂不奕然可见哉？蒙不洁则人掩鼻；反而言之，衣文采，被芬芳，则西子之美岂不益美？文学之贵乎内容，而亦贵乎外式，亦犹是耳。今请以老子之文证之。《老子》为哲学之书，其内容之美，太史公父子言之善矣。兹论其外式。

一、音韵：

《老子》全书多用韵语，如第一章云：

> 无名天地之始，有名万物之母。故常无，欲以观其妙；常有，欲观其徼。

此文"始""母"韵，"妙""徼"韵。又如第二章云：

> 故有无相生，难易相成，长短相形，高下相倾。

此文"生""成""形""倾"韵。有以同字为韵者，如第一章云：

> 道可道，非常道；名可名，非常名。
> 此两者同，出而异名；同谓之玄，玄之又玄，众妙之门。

此文三"道"字韵，三"名"字韵，二"玄"字韵。有现似不韵，而在古为韵者，如第八章云：

> 正善治，事善能，动善时；夫惟不争，故无尤。

此文除"治""时"韵本甚易知外,其余"能""争""尤"均似不韵。然古"能"字通作"而","争"字读作"脂","尤"字读作"移"。则亦与"治""时"韵也。又有句中自为韵者,如四十四章云:

> 名与身,孰亲?身与货,孰多?得与亡,孰病?
> 甚爱,必大费;多藏,必厚亡;
> 知足,不辱;知止,不殆;可以长久。

此文"身""亲"为韵;"货""多"为韵;"亡""病"为韵;"爱""费"为韵;"藏""亡"为韵;"足""辱"为韵;"止""殆"为韵;"以""久"为韵;皆每一句句中字与末字为韵者也。此与《诗·鄘风·蝃蝀篇》"蝃蝀在东",蝀、东为韵;"朝隮于西",隮、西为韵;其例同也。

至其转韵,尤多属天籁之自然。如第二章云:

> 万物作焉而不辞,生而不有,为而不恃,功成而弗居;夫惟弗居,是以不去。

此文"辞""有""恃"为一韵;"居""居""去"为一韵;是转韵矣。然合之则"辞""有""恃""居""居""去"六字亦可谓为一韵;犹贾谊《鹏鸟赋》以"鱼""疑"相韵也。又如第六章云：

> 谷神不死，是谓玄牝；玄牝之门，是谓天地根；绵绵若存，用之不勤。

此文"牝"读"七"，与"死"为一韵；然"牝"亦读毗忍切，则又可与"门"韵；是又通为一韵矣。然此两段之"辞""有""恃"诸字，与"居""居""去"诸字，各自为类；"死""牝"二字，与"门""根""存""勤"四字，亦各自为类；界限画然，各不相杂：则又各自为韵也。盖以双声对转之韵，而为转韵之法也。《诗经》转韵最工此法，如《王风·葛藟》篇云：

> 绵绵葛藟，在河之浒。终远兄弟，谓他人父。谓他人父，亦莫我顾。
> 绵绵葛藟，在河之涘。终远兄弟，谓他人母。谓他人母，亦莫我有。
> 绵绵葛藟，在河之漘。终远兄弟，谓他人昆。谓他人昆，亦莫我闻。

此诗第一章，"浒""父""父""顾"为韵；第二章，转为"涘""弟""母""母""有"韵。此其相转犹《老子》第二章"辞""有""恃"韵与"居""居""去"韵相转之理一也。第二章,"浼""母""母""有"为韵,而第三章又转为"湣""昆""昆""闻"韵;亦犹《老子》第六章"死""牝"韵而下转为"门""根""存""勤"韵,一例也。盖由甲韵转乙韵时,虽各自为韵,而两韵又本可双声对转者也。故其韵转而不转、不转而转,读之能极其音韵之自然,故铿锵动听也。此论其音调也,兹进而论其辞句之体制。

二、体制:

甲,有似三言诗者,如第三章云:

虚其心,实其腹,弱其志,强其骨。

第四章云:

挫其锐,解其纷,和其光,同其尘。

第八章云:

居善地,心善渊,与善仁,言善信,正善治,事善能,动善时。

凡此之类是也。

乙，有似四言诗者，如第二十一章云：

> 孔德之容，唯道是从；道之为物，唯恍唯惚。惚兮恍兮，其中有象；恍兮惚兮，其中有物。窈兮冥兮，其中有精；其精甚真，其中有信。

第四十五章云：

> 大成若缺，其用不敝；大盈若冲，其用不穷；大直若屈，大巧若拙，大辩若讷。

凡此之类是也。有似六言诗者，第十二章云：

> 五色令人目盲，五音令人耳聋，五味令人口爽。

凡此之类是也。有似七言诗者，如第十章云：

> 涤除玄览能无疵？爱民治国能无为？天门开阖能为雌？明白四达能无知？

此章除末四字句外，王弼本句末均有"兮"字，古

本均无之。又有似《楚辞》体者,如第十五章云:

> 豫兮若冬涉川,犹兮若畏四邻,俨兮其若容,涣兮若冰之将释,敦兮其若朴,旷兮其若谷,浑兮其若浊。

第二十章云:

> 众人熙熙,如享太牢,如登春台;我独泊兮其未兆,如婴儿之未孩,儽儽兮若无所归。

凡此之类是也。有似歌行者,如第二十八章云:

> 知其雄,守其雌,为天下谿;为天下谿,常德不离,复归于婴儿。知其白,守其黑,为天下式;为天下式,常德不忒,复归于无极。知其荣,守其辱,为天下谷;为天下谷,常德乃足,复归朴。

凡此之类是也。凡此等均属诗之形式者,后世说理之诗近之。夫老子言哲理之文也,尚用韵以助文之神情;而今人言情之诗,乃反不用韵;则其表情之具,不已缺乏乎?

老子之文学

老子之文，说理既精微，造词亦神妙。其在文学，可谓内容外式均能并美者。故古来文学界，亦引用甚博。兹将《文选》所引者，略录如下。

悚悚黔首，岂徒蹋高天、踏厚地而已哉，乃救死于其颈。（张平子《东京赋》注，善曰：老子曰：圣人在天下惵惵焉。柱按：六臣《文选》本题作《东都赋》，注云：东京谓洛阳，则题误也。又本文作悚悚，善注作惵惵，误。）

是以西匠营宫，目翫阿房，规摹踰溢，不度不臧。损之又损，然尚过于周堂。（同上注，善曰：老子曰：损之又损之，以至于无为也。）

睿哲玄览，都兹洛宫。（同上注，善曰：老子曰：涤除玄览。）

将使心不乱其所在，目不见其所可欲。（同上注，善曰：老子曰：不见可欲，使心不乱。）

终日不离于辎重，独微行其焉如。（同上注，善曰：老子曰：圣人终日行，不离辎重。张楫曰：辎重，有衣车也。）

却走马以粪车，何惜腰褱与飞兔。（同上注，综曰：老子曰：天下无道，戎马生于郊；天下有道，却走马以粪。）

其甘不爽，醉而不醒。（张平子《南都赋》注，善曰：老子曰：五味令人口爽。《广雅》曰：爽，伤也。）

土壤不足以摄生，山川不足以周卫。（左太冲《吴

39

都赋》注,刘曰:老子曰:善摄生。)

载汉女于后舟,追晋贾而同尘。(同上注,刘曰:老子曰:和其光,同其尘。)

剑阁虽嶵,凭之者蹶,非所以深根固蒂也。洞庭虽澔,负之者北,非所以爱人治国也。(左太冲《魏都赋》注,善曰:老子曰:有国之母,可以长久,是谓根深固蒂、长生久视之道。又老子曰:爱民治国,能无知乎?)

上垂拱而司契,下缘督而自劝。(同上注,刘曰:老子曰:圣人执左契,而不责于人。有德司契,无德司彻。)

皇恩绰矣,帝德冲矣。(同上注,善曰:老子曰:大盈若冲。)

尊卢、赫胥,羲、农、有熊。虽自以为道,洪化以为隆。世笃玄同,奚遽不能与之踵武而齐其风?(同上注,善曰:老子曰:知者不言,言者不知,是谓玄同。)

生生之所常厚,洵美之所不渝。(同上注,刘曰:老子曰:人之轻死,以其生生之厚也。谓通生之精以自厚也。)

闲居隘巷,室迩心遐。富仁宠义,职竞弗罗。千乘为之轼庐,诸侯为之止戈。则干木之德自解纷也。(同上注,善曰:老子曰:解其纷也。)

先生玄识,深颂靡测。得闻上德之至盛,匪同尤于有圣。(同上注,刘曰:老子曰:古之士,微妙玄通,深不可识夫!惟不可识,故强为之颂。故曰:先生玄识,深颂靡测。

又曰:上德无为,而无不为。)

长幼杂遝以交集,士女颁斌而咸戾。被褐振裾,垂髫总髻。(潘安仁《藉田赋》注,善曰:老子曰:被褐而怀玉。)

高以下为基,民以食为天。(同上注,善曰:老子曰:贵必以贱为本,高必以下为基。)

泊乎无为,澹乎自恃。(司马相如《子虚赋》注,善曰:老子曰:我独泊然而未兆。)

且人君以玄默为神,澹泊为德。(杨子云《长杨赋》,善曰:老子曰:我独泊然而未兆。)

若乃耽盘流遁,放心不移。忘其身恤,司其雄雌。乐而无节,端操或亏。此则老氏之所诫,而君子之所不为。(潘安仁《射雉赋》注,老子曰:驰骋畋猎,令人心发狂。)

知性命之在天,由力行而近仁。勉仰高而蹈景,尽忠恕而与人。(曹大家《东征赋》注,善曰:老子曰:天道无亲,常与善人。)

清静少欲,师公绰兮。(同上注,善曰:老子曰:清净为天下正。)

竭股肱于昏主,赴涂炭而不移。(潘安仁《西征赋》注,善曰:老子曰:国家昏乱有忠臣。)

命有始而必终,孰长生而久视。(同上注,善曰:老子曰:长生久视之道。)

既餐服以属厌,泊恬静以无欲。(同上注,老子曰:我好静,而民自正。我无欲,而民自朴。)

上之迁下,犹钧之埏埴。(同上注,善曰:老子曰:埏埴以为器。)

密迩猃狁,戎马生郊。(同上,善曰:老子曰:天下无道,戎马生于郊。)

太虚辽廓而无阂,运自然之妙有,融而为川渎,结而为山阜。(孙兴公《游天台山赋》注,善曰:太虚谓天也,自然谓道也,无阂谓无名,妙有谓一也,言大道运彼自然之妙一而生万物也。管子曰:虚而无形谓之道。《鵩鸟赋》曰:寥廓忽荒。老子曰:道生一。王弼曰:一,数之始,而物之极也。谓之为妙有者,欲言有,不见其形,则非有,固谓之妙。欲言其无,物由之生,则非无,故谓之有也。斯乃无中之有,谓之妙有也。阮籍《通老子论》曰:道法自然,《易》谓之太极,《春秋》谓之元,老子谓之道也。老子曰:三生万物。钟会曰:散而为万物也。)

虽一冒于垂堂,乃永存乎长生。(同上注,善曰:老子曰:长生久视之道。)

释二名之同出,消一无于三幡。(同上注,善曰:老子曰:无名,天地之始。有名,万物之母。故常无欲以观其妙,常有欲以观其徼。此两者,同出而异名,同谓之玄。)

疆理宇宙,甄陶国风。云行雨施,品物咸融。(何平叔《景福殿赋》注,善曰:李聃曰:埏埴为器。)

莫不优游以自得，故淡泊而无所思。（同上注，善曰：老子曰：道之出口，淡乎其无味。）

协灵通气，渍薄相陶。流风蒸雷，腾虹扬霄。（郭景纯《江赋》注，善曰：老子曰：阴阳陶冶万物。）

登春台之熙熙兮，珥金貂之炯炯。（潘安仁《秋兴赋》注，善曰：老子曰：众人熙熙，如享太牢，如登春台。）

苟趋舍之殊涂兮，庸讵识其躁静。（同上注，善曰：老子曰：重为轻根，静为躁君。）

彼知安而忘危兮，故出生而入死。（同上注，善曰：老子曰：出生入死。）

授简于司马大夫，曰："抽子祕思，骋子妍辞，侔色揣称，为寡人赋之。"（谢惠连《雪赋》注，善曰：老子曰：王公自谓孤、寡、不榖。）

释智遗形兮，超然自丧。（贾谊《鹏鸟赋》注，善曰：老子曰：燕处超然。）

愿先生为之赋，使四座咸共荣观，不亦可乎？（祢正平《鹦鹉赋》注，善曰：老子曰：虽有荣观，燕处超然。）

何造化之多端兮，播群形于万类。（张茂先《鹪鹩赋》注，善曰：老子曰：道生万物。）

道混成而自然兮，术同源而分流。（班孟坚《幽通赋》注，善曰：老子曰：有物混成，先天地生；又曰：道法自然也。）

默无为以凝志兮，与仁义乎逍遥。不出户而知天下兮,何必历远以劬劳。(张平子《思玄赋》注,善曰:老子曰:上德无为;又曰:不出户而知天下。)

于时曜灵俄景,继以望舒。极盘游之至乐,虽日夕而忘劬。感老氏之遗诫,将回驾乎蓬庐。(张平子《归田赋》注,翰曰:老子曰:驰骋畋猎,令人心发狂。)

于是览知足之分,庶浮云之志。(潘安仁《闲居赋》注,善曰:老子曰:知足不辱,知止不殆。)

仰众妙而绝思,终优游以养拙。(同上注,善曰:老子曰:玄之又玄,众妙之门。)

意惚恍以迁越兮,神一夕而九升。(潘安仁《寡妇赋》注,善曰:老子曰:惚兮恍兮,其中有象。)

怛惊悟兮无闻,超惝悦兮恸怀。(同上注,善曰:老子曰:惚兮恍兮,其中有象。)

同橐籥之困穷,与天地乎并育。(陆士衡《文赋》注善曰:老子曰:天地之间,其犹橐籥乎?)

微风纤妙,若存若亡。(马季长《长笛赋》注,善曰:老子曰:若存若亡。)

玄妙足以通神悟灵,精微足以穷幽测深。(成公子安《啸赋》注,善曰:老子曰:玄之又玄,众妙之门。)

恢恢大圆,茫茫九壤。(束广微《补亡诗》注,善曰:老子曰:天网恢恢。)

诚以天网不可重罹,圣恩难可再恃。(曹子建《上责躬应诏诗表》注,善曰:老子曰:天网恢恢。)

疢疠淫行,荆棘成榛。(潘安仁《关中诗》注,善曰:老子曰:师之所处,荆棘生焉。)

恢恢皇度,穆穆圣容。(应吉甫《晋武帝华林园集诗》注,善曰:老子曰:天网恢恢,疏而不失。)

行舍其华,言去其辩。游心至虚,同规易简。(同上注,善曰:处其实而不处其华。老子曰:致虚极。)

道隐未形,治彰既乱。(颜延年《应诏识曲水作诗》注,善曰:老子曰:大象无形;又曰:道隐无名。)

物性其情,理宣其奥。(颜延年《皇太子释奠会诗》注,善曰:老子曰:道者,万物之奥。)

积疴谢生虑,寡欲罕所阙。(谢灵运《邻里相送方山诗》注,善曰:老子曰:少思寡欲。)

刘伶善闭关,怀情灭闻见。(颜延年《五君咏》注,善曰:老子曰:善闭者,无关键而不可开。)

天长地自久,人道有亏盈。(卢子阳《咏霍将军北伐诗》注,善曰:老子曰:天长地久。)

寄言摄生客,试用此道推。(谢灵运《石壁精舍还湖中诗》注,善曰:老子曰:善摄生者不然。)

窈冥终不见,萧条无可欲。(沈休文《游沈道士馆诗》注,善曰:老子曰:窈兮冥,其中有精。)

曰余知止足,是愿不须丰。(沈休文《游沈道士馆诗》

注,善曰:老子曰:知足不辱,知止不殆。)

恢恢六合间,四海一何宽。天网布纮纲,投足不获安。(欧阳坚石《临终诗》注,善曰:老子曰:天网恢恢,疏而不失。)

志在守朴,养素全真。(嵇叔夜《幽愤诗》注,善曰:老子曰:见素抱朴,少私寡欲。)

君子敬止,慎尔所主。(王仲宣《赠文叔良诗》注,善曰:老子曰:慎终如始,则无败事。)

衰疾近辱殆,庶几并悬舆。(张茂先《答何劭诗》注,善曰:老子曰:知足不辱,知止不殆。)

明暗信异姿,静躁亦殊形。(同上注,善曰:老子曰:重为轻根,静为躁君。)

咏之弥广,挹之弥冲。(潘正叔《赠陆机诗》注,善曰:老子曰:大盈若冲。)

刍狗之谈,其最得乎。(刘越石《答卢谌诗》注,善曰:老子曰:天地不仁,以万物为刍狗。圣人不仁,以百姓为刍狗。结刍为狗也,言天地不爱万物,类祭祀之弃刍狗也。然此与谈老者不同,彼美而此怨耳。)

殊方咸成贷,微物豫采甄。(谢灵运《还旧园诗》注,善曰:老子曰:夫惟道,善贷且成。)

蓄宝每希声,虽祕犹彰彻。(颜延年《赠王太常诗》注,善曰:老子曰:大音希声。)

宠辱易不惊,恋本难为思。(潘安仁《在怀县作诗》注,善曰:老子曰:宠辱若惊,何谓也?辱为下,得之若惊,是谓宠辱若惊。)

小国寡民务,终日寂无事。(同上注,善曰:老子曰:小国寡民。)

真想初在襟,谁谓形迹拘。(陶渊明《始作镇军参军经曲阿作诗》注,善曰:老子曰:修之于身,其德乃真。)

遭物悼迁斥,存期得要妙。(谢灵运《七里濑诗》注,善曰:老子曰:湛兮,似或存。王弼曰:和光而不污其体,同尘而不渝其真。不亦湛兮,似或存兮。)

时危见臣节,世乱识忠良。(鲍明远《出自蓟北门行》注,善曰:老子曰:国家昏乱,有忠臣焉。)

流咏太素,俯赞玄虚。(嵇叔夜《杂诗》注,善曰:老子曰:玄之又玄,众妙之门。)

形变随时化,神感因物作。(卢子谅《时兴诗》注,善曰:老子曰:万物并作,吾以观其复。)

寡欲不期劳,即事罕人功。(谢灵运《田南树园激流植援诗》注,善曰:老子曰:少松寡欲。柱按:松,当为私之形误。)

一朝许人诺,何能坐相捐。(袁阳源《效曹子建乐府白马篇》注,善曰:老子曰:轻诺者,必寡信。)

庄生悟无为,老氏守其真。(江文通《杂体诗》注,善曰：老子曰：见素抱朴。）

甘脆肥脓，命曰腐肠之药。（枚叔《七发》注，善曰：《吕氏春秋》曰：肥肉厚酒，务以相强，命曰腐肠之食。高诱注：老子曰：五味实曰爽伤，故谓之烂肠之食。）

恍兮忽兮，聊兮慄兮，混汨汨兮。（同上注，善曰：老子曰：恍兮忽兮，其中有物。）

游心于浩然，玩志乎众妙。（张景阳《七命》注，善曰：老子曰：玄之又玄，众妙之门。）

耽口爽之馔，甘腊毒之味。（同上注，善曰：老子曰：五味令人口爽。）

却马于粪车之辕，铭德于昆吾之鼎。（同上注，善曰：老子曰：天下有道，却走马以粪。）

林无被褐，山无韦带。（同上注，善曰：老子曰：圣人被褐怀玉。）

向子诱我以聋耳之乐，栖我以蔀家之屋。（同上注，善曰：老子曰：五音令人耳聋。）

田游驰荡，利刃骏足。既老氏之攸戒，非吾人之所欲。（同上注，向曰：老子云：五音令人耳聋，驰骋田猎令人心发征。柱按：向注，日当作畋，征当作狂，皆形误。）

自氓俗浇弛，法令滋彰。（王元长《永明九年策秀才文》注，善曰：老子曰：法令滋章，盗贼多有也。）

神器流离，再辱荒逆。（刘越石《劝进表》注，善曰：

老子曰：天下神器，不可为也，为者败之。韦昭曰：神器，天子玺符服御之物也。）

止足之分，臣所宜守。（庾元亮《让中书令表》注，善曰：老子曰：知足不辱，知止不殆。）

虽太上至公，圣德无私。（同上注，善曰：老子曰：太上，下知有之。）

匡复社稷，大弘善贷。（殷仲文《解尚书表》注，善曰：老子曰：夫惟道，善贷且成。）

道隐旒纩，信充符玺。（任彦升《为萧扬州作荐士表》注，善曰：老子曰：大象无形，道隐无名。）

鄙情赘行，造次以之。（沈休文《奏弹王源》注，善曰：老子曰：自伐无功，自矜不长。其在道，曰余食赘行。）

非夫体通性达，受之自然，其孰能至于此乎？（杨德祖《答临淄侯笺》注，善曰：老子曰：天法道，道法自然。）

爱民治国，道家所尚。（孙子荆《为石仲容与孙皓书》注，善曰：老子曰：爱人治国，能无知乎？）

立功立事，开国称孤。（丘希范《与陈伯之书》注，善曰：老子曰：王侯自称孤、寡、不穀。）

谈空空于释部，覈玄玄于道流。（孔德璋《北山移文》注，翰曰：玄玄，谓玄之又玄也，道流谓老子也。）

窃盗鼎司，倾覆重器。（陈孔璋《为袁绍檄豫州》注，善曰：老子曰：天下之大器也。）

49

是故知玄知默,守道之极。爰清爰静,游神之庭。(杨子云《解嘲》注,善曰:老子曰:知清知静,为天下正。)

广树恩不足以敌怨,勤兴利不足以补害。故曰:代大匠斫者,必伤其手。(陆士衡《豪士赋序》注,善曰:老子曰:夫代大匠斫,希有不伤其手。)

功既成矣,世既贞矣。(王元长《曲水诗序》注,善曰:老子曰:王侯得一,而天下贞。)

居厚者不矜其多,居薄者不怨其少。(任彦升《王文宪集序》注,善曰:老子曰:前识者,道之华而愚之始。是以大丈夫处厚不处薄。)

恢恢广野,诞节令图。(陆士衡《汉高祖功臣颂》注,善曰:老子曰:天网恢恢。)

涅而无滓,既浊能清。(夏侯孝若《东方朔画赞》注,善曰:老子曰:孰能浊以静之徐清。)

董卓之乱,神器迁逼。(袁彦伯《三国名臣赞》注,善曰:老子曰:天下神器,不可为也,为者败之。)

谋解时纷,功济宇内。(同上注,善曰:老子曰:解其纷。)

谋宁社稷,解纷挫锐。(同上注,善曰:老子曰:挫其锐,解其纷。)

浮沉交错,庶类混成。(班孟坚《典引》注,善曰:老子曰:有物混成,先天地生。)

然宦人之在王朝者，其来旧矣。将以其体非全气，情志专良，通关中人，易以役养乎？（范蔚宗《宦者传论》注，善曰：老子曰：未知牝牡之合而脧作。）

不知神器有命，不可以智力求。（班叔皮《王命论》注，善曰：老子曰：天下神器，不可为也，为者败之也。）

岂非深根固蒂，不拔之道乎？（曹元首《六代论》注，善曰：老子曰：有国之母，可以长久。是谓深根固蒂，长生久视之道。）

爱憎不栖于情，忧喜不留于意，泊然无感而体气和平。（嵇叔夜《养生论》注，善曰：老子曰：我独泊然而未兆。）

咸叹恨于所遇之初，而不知慎众险于未兆。（同上注，善曰：老子曰：未兆易谋。）

今以躁竞之心，涉希静之涂。（同上注，善曰：老子曰：听之不闻，名曰希。）

善养生者则不然，清虚静泰，少私寡欲。（同上注，善曰：老子曰：少私寡欲。）

无为自得，体妙心玄。（同上注，善曰：老子曰：玄之又玄，众妙之门。）

道德玄同，曲折合符。（李萧远《运命论》注，善曰：老子曰：知者不言，言者不知。是为玄同。）

势之所集，从之如归市；势之所去，弃之如脱遗。其言曰：名与身孰亲也？得与失孰贤也？荣与辱孰珍也？故遂絜其衣服，矜其车徒，冒其货贿，淫其声色，眽眽然自以为得矣。（同上注，善曰：老子曰：名与身孰亲？得与亡孰病也？）

譬犹众目营方，则天网自昶。（陆士衡《五等诸侯论》注，善曰：目，网目也。老子曰：天网恢恢，疏而不失。柱按：据注引《老子》，则本文当作天网，注文亦当作网目。）

皇统幽而不辍，神器否而必存者，岂非置势使之然欤？（同上注，善曰：老子曰：天下神器，不可为也，为者败之。）

夫道生万物，则谓之道。生而无主，谓之自然。（刘孝标《辨命论》注，善曰：老子曰：大道氾兮，万物得之以生而不辞，功成而不有，爱养万物而不为之主。）

生之无亭毒之心，死之岂虔刘之志。（同上注，善曰：老子曰：亭之，毒之，盖之，覆之。）

或不召自来，或因人以济。（同上注，善曰：老子：不召而自来。）

柔弱生之徒，老氏戒刚强。（崔子玉《座右铭》注，善曰：老子曰：人生也柔弱，其死也坚强。万物草木，生也柔脆，其死也枯槁。故坚强者，死之徒；柔弱者，生之徒也。又曰：柔弱胜刚强。）

慎言节饮食，知足胜不祥。（同上注，善曰：老子曰：知足不辱。）

暑来寒往，地久天长。（陆佐公《石阙铭》注，善曰：老子曰：天长地久。）

矧乃今日，慎终如始。（潘安仁《杨仲武诔》注，善曰：老子曰：慎终如始，则无败事也。）

虽今之作者，人自为量，而首路同尘、辍涂殊轨者多矣。（颜延年《陶征士诔》注，善曰：老子曰：和其光而同其尘。）

孰云与仁，实疑明智。（同上注，善曰：老子曰：天道无亲，常与善人。）

其在先生，同尘往世。（同上注，善曰：老子曰：和其光而同其尘。）

功成弗有，固秉撝挹。（王仲宝《褚渊碑文》注，善曰：老子曰：功成而弗居。）

惟恍惟惚，不皦不昧。莫系于去来，复归于无物。（王简栖《头陀寺碑》注，善曰：老子曰：道之为物，为恍为惚。又曰：一者，其上不皦，其下不昧。绳绳不可名，复归于无物。钟会曰：光而不耀，浊而不昧。绳绳兮其无系，泛泛乎其无薄也，微妙难名，终归于无物。）

象正虽阑，希夷未缺。（同上注，善曰：老子曰：视之不见，名之曰夷。听之不闻，名之曰希。）

抚同上德，绥用中典。（沈休文《齐故安陵昭王碑文》注，善曰：老子曰：上德不德，是以有德。钟会曰：体神妙以存化者,上德也。)

从谏如顺流,虚己若不足。(任彦升《文宣王行状》注,善曰:老子曰:太白若辱,广德若不足。)

举修网之绝纪,纽大音之解徽。(陆士衡《吊魏武帝文》注,善曰:老子曰:大音希声。)

此《文选》诸篇引用老子之大略也。虽或有一二为注家所附会,然其衣被文人之广亦可概见矣。(以上所引均据上海商务印书馆景宋六臣本。)

老子之学说

（一）宇宙学说

哲学之唯一问题，莫要于解释宇宙，亦莫难于解释宇宙。诚以宇宙为一切事物之源，非解决之无以得学术之究竟；而人类之智识，亦殆无满足之时。夫亦惟宇宙为一切事物之源，而人类亦为一切事物之一，且与一切事物同包于宇宙之内，以人之形体寿命，比于宇宙，直如无物而已。故无论其测验之如何精确，学识之如何进步，而欲解决宇宙之究竟，终似不可能。假其能之，则宇宙乃有尽之一物；而此一宇宙之外，又将有一宇宙焉而后可；如此，则层出而不穷，而此无穷之宇宙，仍非吾人所能解决也。故如今日天文学家言：太阳约在大宇之中部，距大宇之中心约数百兆兆里，其余众恒星分布四方，若密布于一大圈之上；其幅员之广，自一端至彼端，以光速每秒钟 186 000 英里之速率计之，亦须行 50 000 年之久方能达到，此即吾人类所居之大宇云云。

然此一大宇之外，岂遂无其他之大宇乎？天文家又言：吾人所居之大宇为一旋涡之星云，其形为扁平、双凸面形；自中心直至天河之边，已二万万兆里有余；自中心至两轴之间，又为此数三分之一；使每一旋涡星云，即一独立大宇，大小与吾人类之大宇相若，而星云之数又在十万以上云云。然此十万以上云云者，亦就今日之可知者言耳；他日之所知，安知其不更有十百倍蓰于此者邪？吾人之所知愈远，则星云之数愈多；则大宇之数宁有穷尽乎？夫空间为宇，时间为宙；大既不可得而言，则久亦岂可得而论？此宇宙所以不可以言语形容也。当老子之时代，对于宇宙之观念，固甚幼稚，或多不免于神怪；而老子则不然，虽无今日实测之精确，而深知宇宙之不可思议，而名之曰道。其第一章云：

> 道可道，非常道；名可名，非常名。

《庄子·知北游》篇及《韩非子·解老》篇释之最善。庄子之言曰：

> 道不可闻，闻而非也；道不可见，见而非也；道不可言，言而非也；知形之不形乎？道不当名。

韩非之言曰：

> 凡理者，方圆、短长、粗靡、坚脆之分也，故理定而后可得道也。故定理有存亡，有死生，有盛衰。夫物之一存一亡，乍死乍生，初盛而后衰者，不可谓常。唯夫与天地之剖判也具生，至天地之消散也不死不衰者谓"常"。而常者，无攸易，无定理。无定理，非在于常所，是以不可道也。圣人观其玄虚，用其周行，强字之曰"道"，然而可论。故曰："道之可道，非常道也。"

夫道者指其体，名者言其名。今指人而问曰："彭祖寿乎？"曰："寿。""四海大乎？"曰："大。"此可道可名者也。然而可以谓之常道常名乎？是必不能。何也？以大椿比彭祖，则彭祖夭矣；以天地比四海，则四海小矣。故寿夭大小之形与名不可常也。故曰："可道非常道，可名非常名。"由此以推，若指人而问之曰："吾人所居之大宇其大几何？"若如上答曰："以太阳为中心，自一端至彼端，以光速每秒钟 186 000 英里之速率计之，须行 50 000 年方能达到。"然则如此可以谓之大矣乎？倘合吾人所居大宇以外之十万以上之大宇计之，不亦渺乎其小邪？是大之形与名又失矣。故六十七章云：

> 天下皆谓我道大,似不肖。夫唯大,故似不肖;若肖,久矣其细也夫!

此之谓也。由是以推,穷人之年以计之,其大未始有穷,即其大小亦未始有限,是皆非常道常名也。何也?有对待故也。故第二章云:

> 有无相生,难易相成,长短相较,高下相倾,音声相和,前后相随。

清人严复释之云:

> 形气之物,无非对待;非对待则不可思议,故对待为心知止境。

此言可谓精切。盖一以对待之名形容之,则其当立丧也。第二十五章云:

> 有物混成,先天地生,寂兮寥兮,独立而不改,周行而不殆,可以为天下母。吾不知其名,字之曰道,强为之名曰大。

按《韩非子·喻老》释第一章有"强字之曰道"之语，疑为老子此章之文，则此章"字"上疑当有"强"字。"强字之曰道"与下句"强名之曰大"，文义正同也。夫道不可道，以其体本不可思议（严复说）；其大本不可名，以其大亦本不可思议也。然卒"字之曰道""名之曰大"者，强为之辞而已。即所谓"寂兮寥兮，独立而不改，周行而不殆"云云者，亦强为之形容焉而已矣。故第十五章云：

> 古之善为上者，微妙玄通，深不可识。夫唯不可识，故强为之容。

此言善为道之人，亦止可以强为之容，则道之为强容可知。

以上所引皆论宇宙之本体者也。至其论宇宙之组织，亦有可述者。第十四章云：

> 视之不见名曰夷，听之不闻名曰希，搏之不得名曰微。此三者不可致诘，故混而为一。其上不曒，其下不昧，绳绳不可名，复归于无物，是谓无状之状、无物之象；是谓惚恍。迎之而不见其首，随之而不其后。

此所谓"夷""希""微",盖如二千年前希腊之科学家所谓原子,(至十九世纪之英人多尔顿氏尚复主张之),或近人所发明之电子相同。是物也,视而不可见,然而所以传见者是物也;听而不可闻,然而所以传闻者是物也;搏而不可得,然而所以成物者,是物也。就目谓之夷、耳谓之希、手谓之微,名虽不同,其为原子或电子一也。故曰"此三者不可致诘,故混而为一"也。今科学家谓一哩重之金可碾成七十五寸见方之金箔,其厚薄为 1/367 000 寸;胰液上所吹出之气泡,用光学或电学之方法,其所得厚薄为 1/3 000 000 寸以下;甚者或能得 1/50 000 000 寸厚之油层;此外一哩重之靛青,能染清水一吨而有余,故此中必有数千百兆分子方足支配;一哩之麝香,能使全室生香至数年之久,则此等分子之小,直不可思议。故曰:"绳绳不可名,复归于无物,是谓无状之状、无物之象也。"盈大宇之间,皆此等分子也,唯随性质与温度之不同,化分化合,而为气、液、固三体之殊耳。第二十一章云:

> 孔德之容,惟道是从。道之为物,惟恍惟惚。惚兮恍兮,其中有象;恍兮惚兮,其中有物。窈兮冥兮,其中有精;其精甚真,其中有信。自古及今,其名不去,以阅众甫。吾何以知众甫之然哉?以此。("然"各本作"状",今从《闵本》作"然"。)

此所则恍惚、窈冥，有象、有物、有精者，即指原子、电子、分子之类也。散则为分子而不能见，故曰"恍惚窈冥"；结则为液体、固体而可见可搏，故曰"甚真甚信"，谓可信验也。此等物体可以使之散而不见，不可使之灭而不存，故曰"自古及今，其名不去"，谓分子不灭也。此等分子之散去，仍在大宇之间，而又为一切物质之原所在也。吾何以知其为物质之原所在乎？以物质本不生不灭，宇宙之本体如此，道之本体亦本如此也。故曰"以阅众甫。吾何以知众甫之然哉？以此"也。此"众甫"，庄子《天地》篇谓之"众父"。此物质之原所自出之道，即庄子《天地》篇所谓"众父父"也。

既为众父父，则为一切万物所自出，是可名为有；然而分之可至于无穷之微，成为"无状之状，无物之象"，故名为无。无不终无，有不终有，就其为有为无之间而言之，则名之曰道。故第四十章云：

天下万物生于有，有生于无。

四十二章云：

道生一，一生二，二生三，三生万物。

此一言万物生于无，一言万物生于道。故或别道与无为二，而讥其义之歧出；或合道与无为一，而讥其名之混用。而不知其所谓万物所从生者，乃此"无状之状，无物之象"，就其无状、无物言之，则谓之无；就其有可状、有可象之情言之，则谓之道；就其已成状、已成象之物言之，则谓之有。故可谓有出于无，亦可谓有生于道，而道与无之义，则终有别也。

复次，"无"之本字，篆文作𣞤。《说文·亡部》："𣞤，亡也，从亡，𣞤声。"《林部》，"𣞤，豐也，从林，𡘈，从大，卌；卌，数之积也，林者木之多也；𣞤与庶同意。"《亡部》，"亡，逃也，从入乚。"《乚部》，"乚，匿也，读若隐。"然则推"无"字之本义，原非与有为绝对之义，如后人以为零者也；道隐而未形，故谓之无耳。故《老子》第二章以有无与难易、长短、高下、前后等并言。夫短非终短，与长相较则为短；下非终下，与高相比则为下耳。然则无非终无，与有相形则为无耳。此《老子》哲学上之有无，所由与通俗之有无异义也。

然则宇宙之生物为有意志者乎？抑无意志者乎？此在老子时代，多数思想固以为有意志。唯老子则不然，以为宇宙生物，绝无意志者也。故第五章云：

天地不仁，以万物为刍狗。

王弼释之云:

> 天地任自然,无为无造,万物自相治理,故不仁也。仁者必造立施化,有恩有为。造立施化,则物失其真;有恩有为,则物不具存。物不具存,则物不具载矣。地不为兽生刍,而兽食刍;不为人生狗,而人食狗;无为于万物,而万物各适其用,则莫不赡矣。

王氏释刍狗四句,严复甚欢赏之,以谓括尽达尔文心理。其实王氏之意则甚是,而释"刍狗"则甚非。《庄子·天运》篇云:

> 夫刍狗之未陈也,盛以箧衍,巾以文绣,尸祝斋戒以将之;及其已陈也,行者践其首脊,苏者取而爨之。

然则刍狗盖新陈代谢之物,犹草木之花,春开秋落,当荣而荣,及谢而谢;来春复茂,已非今日之花。而天地本无恩无为于其间,此所以谓天地不仁也。此天地即指宇宙而言,亦即所谓道也。第三十四章云:

> 大道泛兮，其可左右，万物恃之而生而不辞，功成不名有，衣养万物而不为主。常无欲，可名于小；万物归焉而不为主，可名为大。以其终不自大，故能成其大。

此其发挥宇宙生物无意志更为明显矣。
至其论生物之起源，则第六章云：

> 谷神不死，是谓玄牝。玄牝之门，是谓天地根。绵绵若存，用之不勤。

《列子·天瑞》篇云：

> 有生不生，有化不化。不生者能生生，不化者能化化。生者不能不生，化者不能不化，故常生常化。常生常化者，无时不生，无时不化，阴阳尔，四时尔。不生者疑独，不化者往复。往复，其际不可终；疑独，其道不可穷。《黄帝书》曰："谷神不死，是谓玄牝。玄牝之门，是谓天地根。绵绵若存，用之不勤。"故生物者不生，化物者不化。自生自化，自形自色，自智自力，自消自息。谓之生化形色智力消息者，非也。

《列子》书引"谷神不死"数语,以为黄帝语。《列子》本伪书,或以为伪《列子》者窃老子之言,托为黄帝以见古;或谓伪《列子》时,古书尚存,别有所本,老子述而不作,当亦述黄帝之语。余以时代论之,此等理想,恐非黄帝时代之所能及也。《列子》所谓"不生者能生生,不化者能化化",即老子之"谷神不死"。以其能生生,故云不死;而终非自生,故不得直谓之生。

(二)政治学说

老子之政治说,可分建设及破坏二种。略述如下:

(甲)**建设方面**。老子学说,对于建设方面,极主张自由平等,盖本于其宇宙之观念也。老子之于宇宙,既以为无意志,无意志者,无恩无为也,故对于政府,亦主张无恩无为。第五章云:

> 天地不仁,以万物为刍狗;圣人不仁,以百姓为刍狗。

此明谓圣人为政,亦当如天地之无恩无为也。老子书中言此类者甚众。第十章云:

> 载营魄抱一，能无离乎？专气致柔，能婴儿乎？涤除玄览，能无疵乎？爱民治国，能无知乎？天门开阖，能无雌乎？明白四达，能无为乎？生之畜之，生而不有，为而不恃，长而不宰，是谓玄德。

此则以爱民治国，当如天地生物之自然，而不当有一毫私意存于间，与专制政体之专以恩威诱慑人民者，异矣。故严复云：

> 夫黄老之道，民主之国之所用也。故能长而不宰，无为而无不为。君主之国，未有能用黄老者也。汉之黄老，貌袭而取之耳。

既纯任自然，无所好恶，则平等之至矣。正如天地生物，巨细万殊，坚脆匪一，在人或妄生贵贱，自定妍媸；而在天地视之，岂有异哉？第五十六章云：

> 知者不言，言者不知。塞其兑，闭其门；挫其锐，解其分；和其光，同其尘；是谓玄同。故不可得而亲，不可得而疏，不可得而利，不可得而害，不可得而贵，不可得而贱，故为天下贵。

此则极力发挥平等之旨者也。由是贤愚不肖，亦一切以平等对待。第二十章云：

> 绝学无忧。唯之与阿，相去几何？善之与恶，相去何若？

此以善恶贤愚，泯然齐观矣。是故有不尚贤之论。盖以当时崇尚荣名之流弊，一切法律均为虚声所夺。《吕氏春秋·去私》篇云：

> 腹䵍为墨子钜子，居秦，其子杀人。秦惠王曰："先生之年长矣，非有他子也。寡人已令吏弗诛矣。先生之以此听寡人也。"腹䵍对曰："墨者之法，杀人者死，伤人者刑，此所以禁伤人也。夫禁伤人者，天下之大义也。王虽为之赐而令吏弗诛，腹䵍不可不行墨子之法。"不许惠王，而遂杀之。

于此文可见二事：一，杀人之罪可为贤者而独免；二，"墨者之法，杀人者死，伤人者刑"，贤者居然可以立法操刑人杀人之权。则当时尚贤之风，可知。老子虽稍前于墨子，其时风气亦已开战国之先，相去当亦不远。则当时尚贤之弊，可想而见。老子之不尚贤，昌言绝学，盖或亦以此。其所谓绝学,非真愚民政策也,谓不能以名声学问而加赏,赏当程于功业;不能以名声学问而免罚,罚当科于罪恶。在老子则为道德平等之谈,至韩非则变而为法律平等之旨矣。于等处,足见老子之真也。第六十五章云:

> 古之善为道者,非以明民,将以愚之。民之难治,以其智多。故以智治国,国之贼;不以智治国,国之福。知此两者,亦稽式。常知稽式,是谓玄德。玄德深矣,远矣,与物反矣,然后乃至大顺。

此章,世之说者皆以为老子愚民之证据,唯严复、章炳麟之解则独异。严复云:

> 老之为术,至如此数章,可谓吐露无余者矣。其所为若与物反,而其实以至大顺。而世之读《老》者,尚以愚民訾老子,真痴人前不得说梦也。

章炳麟云:

> 愚之,何道哉?以其明之,所以愚之。今是驵侩则欺罔人,然不敢欺罔其同类,交知其术也,故

耿介甚。以是知去民之诈，在使民户知诈，故曰："以智治国，国之贼；不以智治国，国之福。知此两者，亦稽式。"谓人有发奸擿伏之具矣。"粤无镈，燕无函，秦无卢，胡无弓车"，夫人而能之，则工巧废矣。"常知稽式，是谓玄德。玄德深远，而与物反。"伊尹、太公、管仲，虽知道，其盗道也。得道之情以网捕者，莫如老聃，故老聃反于王伯之辅。

严氏虽不以愚民讥老子，然其解说颇含浑。章氏谓明之所以愚之，其说虽新，颇近迂曲。吾以谓老子此章之言愚之，谓不当以仁贤明于天下以道为市也。为治而必欲人知吾之所仁所贤，是明之也。不欲人之知，是愚之也。"民之难治，以其智多"，智多者利害计较之心甚多也。故治国者若复以此为治，则是以水救水、以火救火矣。此岂"天地不仁，以万物为刍狗；圣人不仁，以百姓为刍狗"之恉乎？故曰："以智治国，国之贼；不以智治国，国之福。"夫"善为道者，生而不有，为而不恃，长而不宰"，夫将何以明民乎？质而言之，老子之于学、于智、于仁、于贤，非真去之绝之也；不以此自矜，不以此明民而已。第三十八章云：

上德不德，是以有德；下德不失德，是以无德。

准此而言，亦可以云上学不学、上智不智、上仁不仁、上贤不贤矣。

总此数义，可见老子之于政治，因时代环境。当时虽不能有总统制、委员制之说，然其以政府治国爱民，本其天职，不得自以为恩爱，亦不得以恩爱市人心；凡人民之受治者，亦当等视齐观，不得以贤愚学否而有所轻重。其崇尚平等自由，可以概见。而当时之礼制，则适与此反。故老子大为掊击之。

（乙）**破坏方面**。周代礼制，集夏殷之大成。当其盛时，固可以致纯太平之治。然事久则不能无敝，故及其敝也，智诈奸巧之害生焉。老子因环境之压迫，遂极力掊击之。在《春秋》时代，若老子者，殆可谓为礼制革命之新伟人矣。第三十八章云：

> 故失道而后德，失德而后仁，失仁而后义，失义而后礼。夫礼者，忠信之薄，而乱之首也。前识者，道之华，而愚之始也。是以大丈夫处其厚不居其薄，处其实不居其华，故去彼取此。

此掊击旧礼制之说也。由是对于当时一切法制，亦多所非议。第五十七章云：

> 天下多忌讳，而民弥贫。
> 法令滋彰，盗贼多有。

第七十四章云：

> 民不畏死，奈何以惧之？若使民常畏死，而为奇者吾得执而杀之，孰敢？

严复释之云：

> 然而天下尚有为奇者，则可知其不畏死。

此掊击当时严刑峻罚之说也。第三十章云：

> 以道佐人主者，不以兵强天下。其事好还。师之所处，荆棘生焉；大军之后，必有凶年。

第三十一章云：

> 夫佳（原作佳，据王念孙校改）兵者，不祥之器。物或恶之，故有道者不处。

第四十六章云：

> 天下有道，却走马以粪；天下无道，戎马生于郊。祸莫大于不知足，咎莫大于欲得。故知足之足，常足矣。

此掊击当时之武力侵略者也。第七十七章云：

> 天之道，其犹张弓与？高者抑之，下者举之；有余者损之，不足者补之。天之道，损有余而补不足；人之道，损不足以奉有余。孰能损有余以奉天下？惟有道者。

此掊击当时贫富阶级者也。盖周代井田制度，至是已渐坏，已有豪强兼并之风，故孔子亦曰"不患寡，而患不均"也。质而言之，老子对于当时之政治，绝对抱革命主义。第七十五章云：

> 民之饥，以其上食税之多，是以饥；民之难治，以其上之有为，是以难治；民之轻死，以其求生之厚，是以轻死。

此以民之穷而走险，皆当时政府驱之然者也。第五十三章云：

> 朝甚除，田甚芜，仓甚虚；服文彩，带利剑，厌饮食，财货有余，是谓盗夸。

"盗夸"当从《韩非子》作"盗竽"。（详见下篇韩非子之老学）盖明以当时政府为盗贼之先导，不啻一短篇革命之宣言矣。

（三）教育学说

老子学说除散见各家所引者外，其书约五千余言，谊指甚博，而文字甚简。其对于教育学说，诚语焉而不详。然既知老子政治学说之如何，则其教育所欲造成人材，亦可得而知。质而言之，则平等自由，不以学自高于人，故曰："学不学，复众人之所过也。"（六十四章）顾或谓老子明言"处无为之事，行不言之教"（二章）焉有教育之可言？而不知此极言自然之教而已。而不学之待教，老子亦尝明言之。第二十七章云：

> 是以圣人常善救人，故无弃人；常善救物，故

无弃物。

> 故善人者,不善人之师;不善人者,善人之资。

第四十九章云:

> 善者吾善之,不善者吾亦善之,德善;信者吾信之,不信者吾信之,德信。

第六十二章云:

> 人之不善,何弃之有?

此均可以见老子对于教育,各因其性以造就,故天下无弃人也。严复释第二十七章"圣人常善救人"四句云:

> 管夷吾得此,故能下令如流水之源,又能因祸以为福。

然则老子之于政治,可谓无为而无不为,其于教育,亦可谓无教而无不教也。

其对个人之训练,固似颇主柔弱。第七十六章云:

> 人之生也柔弱，其死也坚强；万物草木之生也柔脆，其死也枯槁。故坚强者，死之徒；柔弱者，生之徒。

第七十八章云：

> 天下莫柔弱于水，而攻坚者莫之能先，以其无以易之。弱之胜强，柔之胜刚，天下莫不知，莫能行。

是尚柔弱之证也。然有时亦不去刚强。第三十三章云：

> 知人者智，自知者明。胜人力者有力，自胜者强。知足者富，强行者有志。

是老子非不言刚强矣。要而论之，老子之教非不用刚强，唯以不争为本。刚强者，易与人争，故内刚强而外柔弱。内刚强所以自存，外柔弱所以息争端。第二十八章云：

> 知其雄，守其雌，为天下谿；为天下谿，常德不离，复归于婴儿。

盖雄而曰知，雌而曰守，则非专用雌而去雄者可知。其治国如此，其教人之道亦莫不如此矣。

（四）人生学说

老子之人生哲学，其最易知者如"知足""知止""去私""绝学"等。

> 非以其无私邪？故能成其私。（七章）
> 绝学无忧。（二十章）
> 知足不辱，知止不殆。（四十四章）

皆因当时之环境而发生之反响者也。然老子亦非绝对无欲无学者也。第四十一章云：

> 上士闻道，勤而行之；中士闻道，若存若亡；下士闻道，大笑之，不笑不足以为道。故建言有之：明道若昧，忠勇若退，夷道若纇。上德若谷，大白若辱，广德若不足，建德若偷，质真若渝。大方无隅，大器晚成，大音希声，大象无形。道隐无名，夫唯道善贷且成。

然则老子固常"明道""进道"矣。惟"若昧""若退"，而不自以为"明"且"进"而已。由是一切均处于反面。第二十二章云：

> 曲则全，枉则直，洼则盈，敝则新，少则得，多则惑。是以圣人抱一，为天下式。不自见，故明；不自是，故彰；不自伐，故有功；不自矜，故长。

然则老子之学，非"不全""不直""不盈""不新""不得"也，亦非"不明""不彰""不功""不长"也，唯从反面作工夫耳。

第二十章云：

> 众人熙熙，如享太牢，如登春台。我独泊兮其未兆，如婴儿之未孩。儽儽兮，若无所归。众人皆有余，而我独若遗。我独愚人之心也哉！沌沌兮！俗人昭昭，我独昏昏；俗人察察，我独闷闷。澹兮其若海，飂若无止。众人皆有以，而我独顽似鄙。

此章之"如"字、"若"字、"似"字，最当注意。盖曰"如"、曰"若"、曰"似"，则非真实如此矣。然则众人之昭昭，正以其昏昏也；我之昏昏，正以我之昭昭也。俗人之察察，正以其闷闷也；我之闷闷，正以我之昭昭也。昔孔子称颜渊"如愚"。老子之学，虽与颜渊不同，而"如愚"二字，实可以概括老子之学，故其言曰："大智若愚也。"

其对于死生问题，亦从反面着想。盖有生则必有死，无可或免者。若求不死，则当不自生。第七章云：

> 天长地久。天地之所以能长且久者，以其不自生，故能长生。是以圣人后其身而身先，外其身而身存。

诚以不自生则且非一己之所私，吾身万化而未始有穷，则吾生亦万变而未始有尽，此常生之说也。第三十三章云：

> 死而不亡者寿。

严复释之云：

> 苟知死而有不亡者，则夭寿一耳。故曰："朝闻道，夕死可矣。"甚矣，不可不识、不可不求此死而不亡者也。

严氏谓"死而不亡，则寿夭一"，是也。其谓不可不求，则非也。老子之意，盖谓万物之生，其在于一身者虽异；倘此身毁坏，而其所以生者，仍归于宇宙而为生生之本；此即谷神不死，绵绵若存之物也。然则就一身而言，虽有生死；离一身而言，孰从而生死之邪？夫人生之所以戚戚不安者，莫如生死；诚使生死问题，已从根本解决，则一切荣辱得丧，均不足以扰吾心矣。第十三章云：

> 宠辱若惊，贵大患若身。何谓宠辱若惊？宠为上，辱为下，得之若惊，失之若惊，是以宠辱若惊。何谓贵大患若身？吾所以有大患者，为吾有身；及吾无身，吾又何患？
>
> （王弼本作：何谓宠辱若惊，宠为下；宋刊河上本作：何谓宠辱，宠为下。俞樾云：陈景元、李道纯本均作：何谓宠辱若惊，宠为上，辱为下。可据以订正诸本之误。柱按：俞说是也。今据正。）

然则身尚非我有，身外荣辱宁足论乎？则老子之人生观，可以知其大略矣。

（五）结论

质而言之，老子之学，实本于无。故于宇宙为无名，于政治为无为，于人生为无生。一切均不外乎无。第十一章云：

> 三十辐共一毂，当其无，有车之用；埏埴以为器，当其无，有器之用；凿户牖以为室，当其无，有室之用。故有之以为利，无之以为用。

宋儒王安石驳之云：

> 道有本有末。本者，万物之所以生也。末者，万物之所以成也。本者出之自然，故不假乎人之力，而万物以生者也。末者，涉乎形器，故待人力而后万物以成也。夫其不假人之力而万物以生，则是圣人可以无言也、无为也。至乎有待于人力而万物以成，则是圣人不能无言也、无为也。故昔圣人之在上，而以万物为己任者，必制四术焉。四术者，礼乐刑政是也，所以成万物者也。故圣人唯务修其成万物者，不言其生万物者。盖生者尸之于自然，非人力之所得与矣。老子独不然，以为涉乎形器者皆

不足言也、不足为也。故抵去礼乐刑政，而唯道之称焉，是不察于理而务高之过矣。夫道之自然者，又何预乎？唯其涉乎形器，是以必待于人之言也、人之为也。其书曰："三十辐共一毂，当其无，有车之用。"夫毂辐之用，固在于车之无用，然工之琢削，未尝及于无者，盖无出于自然之力，可以无与也。今之治车者，知治其毂辐，而未尝及于无也；然而车以成者，盖毂辐具，则无必为用矣。如其知无为用，而不治毂辐，则车之为术固已疏矣。今知无之为车用，无之为天下用，然不知所以为用也。故无之所以为用者，以有毂辐也；无之所以为天下用者，以有礼乐刑政也。如其废毂辐于车，废礼乐刑政于天下，而坐求其无之为用也，则亦近于愚矣。

王氏此说，诚可谓至当。然老子亦非不见及此也。故于"有之以为利"之下，继之曰："无之以为用"。吕惠卿释之云：

> 有有之为利，而无无之为用，则所谓利者亦废而不用矣。有无之为用，而无有之为利，则所谓用者，亦害而不利矣。

此解可谓得之。则老子盖未尝去有，特以当时之人，皆从事"于有之为利"，而忘夫"无之为用"，故为矫枉过正之谈耳。

庄子之老学

庄子与老子之学术,其同异如何乎?以庄子称述老子之多,(见上《老子别传》)则其出于老子无疑也。然《庄子·天下》篇云:

> 以本为精,以物为粗,以有积为不足,澹然独与神明居。古之道术有在于是者,关尹、老聃闻其风而悦之。建之以常无有,主之以太一;以濡弱谦下为表,以空虚不毁万物为实。关尹曰:"在己无居,形物自著。其动若水,其静若镜,其应若响。芴乎若亡,寂乎若清。同焉者和,得焉者失。未尝先人,而常随人。"老聃曰:"知其雄,守其雌,为天下谿;知其白,守其辱,为天下谷。"人皆取先,己独取后。曰:"受天下之垢。"人皆取实,己独取虚,无藏也故有余,岿然而有余。其行身也徐而不费,无为也而笑巧。人皆求福,己独曲全,曰:"苟免于咎。"以深为根,以约为纪,曰:"坚则毁矣,锐则挫矣。"

常宽容于物，不削于人，可谓至极。关尹、老聃乎，古之博大真人哉！

芴漠无形，变化无常，死与生与？天地并与？神明往与？芒乎何之？忽乎何适？万物毕罗，莫足以归。古之道术有在于是者，庄周闻其风而悦之。以谬悠之说，荒唐之言，无端崖之辞，时恣纵而不傥，不以觭见之也。以天下为沈浊，不可与庄语，以卮言为曼衍，以重言为真，以寓言为广。独与天地精神往来，而不敖倪于万物；不谴是非，以与世俗处。其书虽瑰玮，而连犿无伤也；其辞虽参差，而諔诡可观。彼其充实，不可以已。上与造物者游，而下与外生死、无始终者为友。其于本也，宏大而辟，深闳而肆；其于宗也，可谓稠适而上遂矣。虽然，其应于化而解于物也，其理不竭，其来不蜕，芒乎昧乎，未之尽者。

《天下》篇或以为庄子自作，或以为非也，今莫能定其然否。然恐非庄子或深知庄子者，不能道也。然此明以老子别其叙述，则自与老子异也。其叙述老子止言虚静无为等等而已。而叙庄子则曰："死与生与？天地并与？神明往与？"又曰："与天地精神往来，而不敖倪于万物；不谴是非，以与世俗处。"又曰："上与造物者游，而下与外死生、无终始者为友。"则其学比老子为宏大矣。岂仅学老子者而已哉？

世之论者，尝以老子之后有庄子，犹孔子之后有孟子，盖颇近之。然吾以谓孟子之于孔子，不过发挥仁义之说，似为透彻而已，于孔子之思想，无以远过。庄子则不然，其发挥老子之说，精辟处固多远胜于孟子之于孔子，而其卓越于老子者，则非孟子所能望也。"青出于蓝而胜于蓝，冰出于水而寒于水"，庄子之谓与？

今庄子三十三篇，虽不尽为庄子之文；然意旨无大相乖戾者，要为庄子学者一家之言。合而观之，皆可见庄子之学术也。韩非子有《解老》《喻老》之篇，庄子则无此类之文。然其说多推演老子，实章章明甚。其书关系老学亦甚重要，今分别论之。

（一）多存老子之遗行遗言。

老之行事，惟《史记·老庄申韩列传》为最古，而颇憾其太简。其言则五千言以外，散见他书者亦多假托。唯见于庄子书者，则行事较详，而言较相近。诚治老子学者最不可少之书也。共说已见前篇《老子别传》，兹不赘述。

（二）本传说以阐明老子之恉，如《庚桑楚》篇云：

老聃之役有庚桑楚者，偏得老聃之道，以北居畏垒之山。其臣之画然知者去之，其妾之挈然仁者远之,拥肿之与居,鞅掌之为使。居三年,畏垒大壤。畏垒之民,相与言曰:"庚桑子之始来,吾洒然异之。今吾日计之而不足,岁计之而有余。庶几其圣人乎?子胡不相与尸而祝之,社而稷之乎?"庚桑子闻之,南面而不释然。弟子异之,庚桑子曰:"弟子何异于予?夫春气发而百草生,正得秋而万宝成。夫春与秋,岂无得而然哉?天道已行矣。吾闻至人尸居环堵之室,而百姓猖狂不知所如往。今以畏垒之细民,而窃窃焉欲俎豆予于贤人之间,我其杓之人邪?吾是以不释于老聃之言。"弟子曰:"不然。夫寻常之沟,巨鱼无所还其体,而鲵鳅为之制;步仞之丘陵,巨兽无所隐其躯,而蘖狐为之祥。且夫尊贤授能,先善与利,自古尧舜已然,而况畏垒之民乎?夫子亦听矣。"庚桑子曰:"小子来!夫函车之兽,介而离山,则不免于罔罟之患;吞舟之鱼,砀而失水,则蚁能苦之。故鸟兽不厌高,鱼鳖不厌深。夫全其形生之人,藏其身也,不厌深眇而已矣。且夫二子又何足以称扬哉?是其于辩也,将妄凿垣墙而殖蓬蒿也。简发而栉,数米而炊,窃窃乎又何足以济世哉?举贤则民相轧,任知则民相盗。之数物者,不足以厚民。民之于利甚勤,子有杀父,臣有杀君,正昼为盗,月中穴阫。吾语汝:大乱之本,必生于尧、舜之间,其末存乎千世之后;千世之后,其必有人与人相食者也。"

此文"春气发而百草生"数语,即发明老子"天地不仁"之恉者也。庚桑子闻人欲尸祝社稷而不释然,即发明老子"非以明民,将以愚之"之恉者也。"举贤则民相乱"数语,即发明老子"不尚贤"者也。

(三)以寓言阐明老子之恉,如《知北游》篇云:

> 知北游于玄水之上,登隐弅之丘,而适遭无为谓焉。知谓无为谓曰:"予欲有问乎若:何思何虑则知道?何处何服则安道?何从何道则得道?"三问而无为谓不能答也。非不答,不知答也。
>
> 知不得问,反于白水之南,登狐阕之上,而睹狂屈焉。知以之言也,问乎狂屈。狂屈曰:"唉!予知之,将语若。"中欲言而忘其所欲言。
>
> 知不得问,反于帝宫,见黄帝而问焉。黄帝曰:"无思无虑始知道,无处无服始安道,无从无道始得道。"知问黄帝曰:"我与若知之,彼与彼不知也,其孰是邪?"黄帝曰:"彼无为谓,真是也;狂屈似之;我与汝,终不近也。夫知者不言,言者不知,故圣人行不言之教。道不可致,德不可至,仁

可为也，义可亏也。故曰：'失道而后德，失德而后仁，失仁而后义，失义而后礼；礼者，道之华，而乱之首也。'故曰：'为道者日损，损之又损之，以至于无为，无为而无不为也。'今已为物也，欲复归根，不亦难乎？其易也，其唯大人乎？生也死之徒，死也生之始，孰知其纪？人之生，气之聚也；聚则为生，散则为死；若生死为徒，吾又何患？故万物一也。是其所美者为神奇，所恶者为腐臭。故曰：'通天下一气耳。'故圣人贵一。"知问黄帝曰："吾问无为谓不应我，非不我应，不知应我也；吾问狂屈，狂屈中欲告我而不我告，非不我告，中欲告而忘之也；今予问乎若，若知之，奚故不近？"黄帝曰："彼其真是也，以其不知也；此其似之也，以其忘之也；予与若，终不近也，以其知之也。"

狂屈闻之，以黄帝为知言。

此以寓言释老子"知者不言"之恉，而旁及"失道后德""为道日损"之言者也。其言生死为徒，则释明老子及"吾无身，吾又何患"之恉，而"生也死之徒，死也生之始"则又卓出老子"无生"之上者矣。

（四）藉问难以明老子之恉者，如《外物》篇云：

> 惠子谓庄子曰:"子言无用。"庄子曰:"知无用,而始可与言用矣。夫地非不广且大也,人之所欲容足耳。然则厕足而垫之,致黄泉,人尚有用乎?"惠子曰:"无用。"庄子曰:"然则无用之为用也亦明矣。"

此即释老子所谓"有之以为利,无之以为用"之恉者也。

(五)譔专论以阐明老子之恉,如《胠箧》等篇是也。文长不具录,兹节录一段以示例:

> 夫川竭而谷虚,丘夷而渊实;圣人已死,则大盗不起,天下平而无故矣。圣人不死,大盗不止。虽重圣人而治天下,则是重利盗跖也。为之斗斛以量之,则并与斗斛而窃之;为之权衡以称之,则并与权衡而窃之;为之符玺以信之,则并与符玺而窃之;为之仁义以矫之,则并与仁义而窃之。何以知其然邪?彼窃钩者诛,窃国者为诸侯;诸侯之门而仁义存焉。则是非窃仁义圣知邪?故逐于大盗,揭诸侯,窃仁义并斗斛权衡符玺之利者,虽有轩冕之赏弗能劝,斧钺之威弗能禁。此重利盗跖而使不可禁者,是乃圣人之过也。故曰:"鱼不可脱于渊,国之利器不可示人。"彼圣人者,天下之利器也,非所以明天下也。

此阐明老子"绝圣弃知"之恉者也。然则庄子解老之文体可略见矣。若其学说与老子之比较，亦有可得言者，今再分别论之。

（一）宇宙学说。老子之于宇宙，止言其为不可名状，超出于对待而已，尚无切实具体之观念。庄子则不然，既甚有具体观念，而又甚为怀疑。其《天运》篇云：

> 天其运乎？地其处乎？日月其争于所乎？孰主张是？孰维纲是？孰居无事推而行是？意者其有机缄而不得已邪？意者其转运而不能自止邪？云者为雨乎？雨者为云乎？孰隆施是？孰居无事淫乐而劝是？风起北方，一西一东？有上彷徨，孰嘘吸是？孰居无事而披拂是？

此可见其对于宇宙怀疑之态度，而其对于宇宙之观念，比老子为真实，亦略可概见矣。其对于宇宙之解释，则《庚桑楚》篇言之颇明。其言云：

> 有实而无乎处者，宇也；有长而无本剽者，宙也。有乎生，有乎死，有乎出，有乎入，入出而无见其形，是为天门。天门者，无有也。万物出乎无有。有不能以有为有，必出乎无有，而无则一无有。

此析而言之，以空间释宇，以时间释宙。浑而言之，则宇宙无大小、无始终者也。郭象释"有不能以有为有"云：

> 夫有之未生，以何为生乎？故必自有耳，岂有之所能有乎？

其释"必出乎无有"云：

> 此所以明有之不能为有，而自有耳。非谓无能为有也。若无能为有，何谓无乎？

成玄英疏郭氏此注云：

> 夫已生未生，二俱无有。此有之出乎无有，非谓此无能生有。若无能生有，何谓无乎？

此以佛理释庄子，然非庄子本恉也。庄子之恉，盖即老子"天下万物生于有，有生无"之说，所谓"入出而无见其形"，即老子所谓"无状之状、无物之象"。故庄子之所谓"无有"即老子之所谓"无"也。

其于宇宙生物，亦本于老子，以为无意志。《天道》篇云：

> 吾师乎，吾师乎！赍万物而不为戾，泽及万世而不为仁，长于上古而不为寿，覆载天地、刻雕众形而不为巧，此之谓天乐。

《大宗师》篇亦有此语，托为许由之言，盖寓言类也。此亦老子"天地不仁"之说也。至其论生物之起源，亦本于老子而加详。《天地》篇云：

> 泰初有无无，有无名。一之所起，有一而未形。物得之以生，谓之德。未形者有分，且然无间，谓之命。留动而生物，物成生理，谓之形。形体保神，各有仪则，谓之性。

成玄英疏"留动"二句云：

> 留，静也。阳动阴静，氤氲升降，分布三才，化生万物，物得成就，生理具足，谓之形也。

此以天地阴阳二气，自然化生万物，而各有其仪则者也。万物自然化生，而其种类所以不齐，则又因乎天演进化之故。《至乐》篇云：

种有几？得水则为continue；得水土之际则为鼃蠙之衣，生于陵屯则为陵舄；陵舄得郁栖，则为乌足。乌足之根为蛴螬，其叶为胡蝶。胡蝶胥也，化而为虫，生于灶下，其状若脱，其名为鸲掇。鸲掇千日为鸟，其名为乾余骨。乾余骨之沫为斯弥。斯弥为食醯。颐辂生乎食醯，黄軦生乎九猷，瞀芮生乎腐蠸；羊奚比乎不箰。久竹生青宁，青宁生程，程生马，马生人；人又反入于机。万物皆出于机，皆反于机。

此段所言之物名，不能尽识。然大意谓生物之种甚多，得水则继续变化；生水土之际者为鼃蠙之衣，生于丘陵为陵舄之草，各因水陆之殊而为植物也亦异。由是植物演进而为虫，而为鸟；再经许多变化，而为马，而为人；皆天演之自然者，其说颇有合于今日之物种由来论。皆本老子"天地不仁"及"道生一，一生二，二生三，三生万物"之说而推演之，而益加精详者也。虽然，庄子之宇宙思想虽比老子为加详，然其对宇宙之本体则甚多怀疑，如前所引《天运》篇语是也。故其结果，对于宇宙，尝欲置之不议，《齐物》篇云：

六合之外，圣人存而不论。六合之内，圣人论而不议。

盖亦因当时科学不明,仪器不精,无从测验,徒冯理想,无益于学,故虽尝论之而终欲废之也。

(二)政治学说。庄子之政治学说,亦纯本老子之自然,而主张绝对放任。兹举例以明之。《应帝王》篇云:

> 天根游于殷阳,至蓼水之上,适遭无名人而问焉。曰:"请问为天下?"无名人曰:"去!汝鄙人也,何问之不豫也?予方将与造物者为人,厌,则又乘夫莽眇之鸟,以出六极之外,而游无何有之乡,以处圹埌之野。汝又何帛(崔本作"为",柱疑"帛"乃"为"字古文"𢇮"之讹)以治天下感予之心为?"又复问。无名人曰:"汝游心于淡,合气于漠,顺物自然,而无容私焉,而天下治矣。"

此以游之放任,喻为治之当放任也。既主放任,故对于当时之礼制,亦极力掊击。《马蹄》篇云:

> 夫马,陆居则食草饮水,喜则交颈相靡,怒则分背相踶。马知已此矣。夫加之以衡扼,齐之以月题,而马知介倪、闉扼、鸷曼、诡衔、窃辔。故马之知而态至盗者,伯乐之罪也。夫赫胥氏之时,民居不知所为,行不知所之,含哺而熙,鼓腹而游,

民能以此矣。及至圣人，屈折礼乐，以匡天下之形；县跂仁义，以慰天下之心；而民乃始踶跂好知，争归于利，不可止也。此亦圣人之过也。

盖亦皆本于老子"绝学无忧""绝圣弃知"之说而加厉者也。

（三）人生学说。庄子之人生哲学，亦本于其宇宙观念。盖共视人之死生皆不过形体之变化，而为一气之生，则未始有异。明乎此，则世所谓死不过此形之毁坏，而所以为生则实未尝死也。《大宗师》篇云：

夫藏舟于壑，藏山于泽，谓之固矣。然而夜半有力者负之而走，昧者不知也。藏小大有宜，犹有所遁。若夫藏天下于天下，而不得其所遁，是恒物之大情也。特犯人之形，而犹喜之。若人之形者，万化而未尝有极也，其为乐可胜计邪？故圣人将游于物之所不得遁而皆存。

此以一气之生，随形而变；忽而为人则为人，忽而为马则为马。今日为人而吾乐之，他日为马吾亦乐之。形万化而未有穷，则乐亦万化而未有尽也。此理与轮回之说大异。彼所谓生者为一物之灵魂，此所谓生者乃百生之一气；彼所轮回乃有意识之赏罚，而此则为造化之自然。盖绝相反也。且世人之所谓死者，以其身体之毁坏耳。而以庄子视之，亦无所谓毁坏。《齐物论》篇云：

> 其分也，成也；其成也，毁也；万物无成与毁，复通为一。

盖人之身体，亦不过宇宙之元素所组成；在此以为成，在彼或为毁；在此以为毁，在彼或为成。譬如陶者，以土为器，于器为成，而于土则为毁矣；爨者以火烧薪，于薪则为毁，而于灰则为成矣。故吾身毁于此，同时又未尝不成于彼也。夫如是，更何生死成毁之足云？而人之喜生恶死者皆惑矣。《齐物论》篇云：

> 吾恶乎知说生之非惑邪？予恶知恶死之非弱丧而不知归者邪？丽之姬，艾封人之子也。晋国之始得之也，涕泣沾襟；及其至于王所，与王同筐床，食刍豢，而后悔其泣也。予恶乎知夫死者之不悔其始之蕲生乎？

此盖谓今日为人，死而为他物，他物亦自有足乐。未至其时而悲惧之者，皆非也。更有进者，《知北游》篇云：

> 生也死之徒，死也生之始。

盖人之既生，则必由幼而壮，由壮而老，由老而死。是人之方生，已直向死路而走，故曰"生也死之徒"。然自达者观之，生死不过神形之变化，毁于此者成于彼，死于彼者生于此。是至乎死者，又为生始矣。故曰："死也生之始。"然则庄子自述，以谓独与天地精神往来者，岂虚语哉？

（四）结论。庄子之老学，如以上所述，已可以略观矣。质而论之，一切皆不能出老子之范围。惟立说较为透切，至于宇宙观念，推测天地日月之运行，则由老子之空泛而欲进于实体；生物起原进化之说，亦由老子之简括而欲进于征实。此则庄子之学能青出于蓝者也。惜其时科学未进，故终欲不论不议。此可以见学术之进步，宜万涂竞发，互相因依，非可以一径独达也。至其人生哲学，以死生为一，方诸老子之"以不生为生""死而不亡为寿"者，益为放旷矣。

韩非子之老学

司马迁《史记》以老子、庄子与申子、韩非子同传,且其赞曰:

> 老子所贵道,虚无,因应变化于无为,故著书辞称微妙难识。庄子散道德,放论,要亦归之自然。申子卑卑,施于名实。韩子引绳墨,切事情,明是非,其极惨礉少恩。皆原于道德之意,而老子深远矣。

其后苏轼作论,极力阐之。而或者多为老子冤。然今考韩非子有《解老》《喻老》二篇,则谓其学不出于老子不可得也。惟其与老子所以异同之故,则有当讨论者耳。

《解老》与《喻老》之别,盖前者主释义,而后者多以古事为喻耳。此二篇为解《老子》最古之书,最可宝贵,其长有三:

一曰:文字与今本不同,可以订正今本。如今本《道德经》五十三章云：

> 朝甚除，田甚芜，仓甚虚；服文彩，带利剑，厌饮食，货财有余，是谓盗夸。非道也哉！

晋王弼释之云：

> 凡物，不以其道得之，则皆邪也。邪则盗也。夸而不以其道得之，窃位也。故举非道以明非道，则皆盗夸也。

王弼解"夸"字殊多牵强。韩非子《解老》篇引《老子》文，则"盗夸"作"盗竽。"其解云：

> 诸夫饰智故以至于伤国者，其私家必富；私家必富，故曰"资货有余"。国有若是者，则愚民不得无术而效之；效之则小盗生。由是观之，大奸作则小盗随，大奸唱则小盗和。竽也者，五声之长者也。故竽先则钟瑟皆随，竽唱则诸乐皆和。今大奸作则俗之民唱，俗之民唱则小盗必和，故"服文采，带利剑，厌饮食而资货有余者，是之谓盗竽"矣。

韩子"夸"作"竽",其解"盗竽"盖远胜于王弼之解"盗夸"矣。

二曰：古义与后人望文生训者不同。如五十章云：

> 出生入死。生之徒十有三，死之徒十有三。人之生，动之死地，亦十有三。

王弼释之云：

> 十有三，犹云十有三分，取其生道，全生之极，十分有三耳；取死之道，全死之极，亦十分有三耳。

而韩非子则释之云：

> 人始于生，而卒于死。始谓之出，卒谓之入。故曰："出入生死。"人之身三百六十节，四肢九窍，其大具也。四肢与九窍十有三（各本"三"下有"者"，据王先慎说删），十有三者之动静，尽属于生焉。属之谓徒也，故曰："生之徒也十有三"（旧"三"下有"者"字，据卢文弨说删），至其死也，十有三者，皆还而属之于死，死之徒亦十有三。故曰："生之徒十有三，死之徒十有三。"凡民之生生，而生者固动，动尽则

损也;而动不止,是损而不止也。损而不止,则生尽;生尽之谓死,则十有三具者,皆为死地也。故曰:"民之生,生而动,动皆之死地,亦十有三。"

此解"十有三"何等塙切!盖人之生恃乎形体,形体之生长,恃乎动,由是而从幼得壮,从壮得老,从老得死,皆形体之动使然也。清人姚鼐以韩非之解"盗竽"为讪;近人胡适谓韩非之解"生之徒十有三"为极无道理。弃周鼎而宝康瓠,吾未见其明也。

三曰:佚文可补今本之阙,如《解老》篇云:

道譬诸若水,溺者多饮之即死,渴饮之即生;譬之若剑戟,愚人以行忿则祸生,圣人以诛暴则福成。故曰:(原脱"曰"字,据王先慎增)得之以死,得之以生,得之以败,得之以成。"

此文"得之以死"四句,王先慎云:"《老子》各本无,盖佚文也。"

其他胜义尚难更仆数。然则韩非本于老而卒与老之慈相反,独以惨礉著者,何邪?苏轼所谓"求无有之说而不得,得其所以轻天下之说,故敢于残忍而无疑"者,事固有之,而仍未能尽也。大抵学者之思想,一因乎天性，二因乎所学，三因乎环境。设有三人焉，初本同一师法也。及受环境潮流之所压迫，则因其天性之殊，而思想学说遂异矣。其异也，亦不外三端，一曰反抗，二曰顺应，三曰调和。三者不同，而欲以改进环境则一也。韩非之于老学，虽颇能得其精；然生于战国之末，秦将征服六国之时，目睹国家之生存，全凭乎实力；而当时之君，除秦之外，皆多好为空谈，无救危弱。观韩非子《显学》篇可以知其崖略矣。其言云：

> 今有人于此，义不入危城，不处军旅，不以天下大利易其胫一毛，世主必从而礼之，贵其智而高其行，以为轻物重生之士也。夫上所陈良田大宅，设爵禄，所以易民死命也。今上尊贵轻物重生之士，而索民之出死而重殉上事，不可得也。藏书策，习谈论，聚徒役，服文学，而议说，世主必从而礼之曰："敬贤士，先王之道也"。夫吏之所税，耕者也；而上之所养，学士也。耕者则重税，学士则多赏，而索民之疾作而少言谈，不可得也。立节参明，执操不侵，怨言过耳，必随之以剑，世主必从而礼之，以为自好之士。夫斩首之劳不赏，而家斗之勇尊显，而索民之疾战距敌而无私斗，不可得也。国平则养儒侠，难至则用介士；所养者非所用，所用

者非所养，此所以乱也。且夫人主于听学也，若是其言，宜布之官，而用其身；若非其言，宜去其身，而息其端。今以为是也，而弗布于官；以为非也，而不息其端。是而不用，非而不息，乱亡之道也。

观此则韩非所处政治之环境，为尚虚文而忘实力者可知。而韩非欲逆其环境，而改造之，其意亦可见矣。且当其时攻伐之急逼，兵力之需要，亦于此可见；而韩非之欲适应其环境，从事实力，以求国家之生存，又可知矣。

韩非以尚实力而矫空文之故，于是不能不重赏罚。故其《难一》篇云：

且舜救败，期年已一过，三年已三过；舜寿有尽，天下过无已者；以有尽逐无已，所止者寡矣。赏罚使天下必行之，令曰："中程者赏，不中程者诛。"令朝至暮变，暮至朝变，十日而海内毕矣。奚待期年？

盖重赏罚，则成功速，而实力易充也。重赏罚则不能不明术数。故《六反》篇云：

> 今上下之接，无子父之泽，而欲以行义禁下，则交必有郤矣。且父母之于子也，产男则相贺；产女则杀之。此俱出自父母之怀衽，然男子受贺，女子杀之者，虑其后便，计之长利也。故父母之于子，犹用计算之心，以相待也，而况无父子之泽乎？

此其重术数，盖又目击当时之环境使然矣。然则崇实力，重赏罚，明术数，三者盖韩非学术之大端。今韩非书五十五篇，其言虽多，而大指不外乎是矣。是固环境使然，而亦不能不谓其导原于老，兹试略举而论之。如《老子》三十八章云：

> 上德不德，是以有德；下德不失德，是以无德。上德无为而无以为，下德为之而有以为。上仁为之而无以为，上义为之而有以为。上礼为之而莫之应，则攘臂而扔之。故失道而后德，失德而后仁，失仁而后义，失义而后礼。夫礼者，忠信之薄，而乱之首；前识者，道之华，而愚之始。是以大丈夫处其厚不处其薄，居其实不居其华。故去彼取此。

而韩非《解老》篇释之云：

凡德者,以无为集,以无欲成,以不思安,以不用固。为之欲之,则德无舍;德无舍,则不全。用之思之,则不固;不固,则无功;无功,则生有德。德则无德,不德则有德。故曰:"上德不德,是以有德。"

所以贵无为、无思为虚者,谓其意无所制也。夫无术者故以无为、无思为虚也。夫故以无为、无思为虚者,其意常不忘虚,是制于为虚也。虚者,谓其意无所制也。今制于为虚,是不虚也。虚者之无为也,不以无为为有常。不以无为则有常,则虚,虚则德盛。德盛谓之上德。故曰:"上德无为而无不为也。"

仁者,谓其中心欣然爱人也。其喜人之有福,而恶人之有祸也。生心之所不能已也,非求其报也。故曰:"上仁为之而无以为也。"

义者,君臣上下之事,父子贵贱之差也,知交朋友之接也,亲疏内外之分也。臣事君,宜;下怀上,宜;子事父,宜;贱敬贵,宜;知交朋友之相助也,宜;亲者内而疏者外,宜。义者,谓其宜也,宜而为之。故曰:"上义为之而有以为也。"

礼者,所以貌情也,群义之文章也,君臣父子之交也,贵贱贤不肖之所以别也。中心怀而不论,故疾趋卑拜以明之;实心爱而不知,故好言繁辞以信之。礼者，外饰之所以论内也。故礼以貌情也。（故下各本有"曰"字，据顾广圻校删）凡人之为外物动也，不知其为身之礼也。众人之为礼也，以尊他人也，故时劝时衰。君子之为礼，以为其身。以为其身，故神之为上礼。上礼神而众人贰，故不能相应。不能相应，故曰："上礼为之而莫之应。"众人虽贰，圣人之复恭敬尽手足之礼也不衰。故曰："攘臂而扔之。"

道有积而德有功，德者，功之功。功有赏而实有光，仁者，德之光。光有泽而泽有事，义者，仁之事也。事有礼而礼有文，礼者，义之文也。故曰："失道而后失德，失德而后失仁，失仁而后失义，失义而后失礼。"

礼为情貌者也，文为质饰者也。君子取情而去貌，好质而恶饰。夫恃貌而论情者，其情恶也；须饰而论质者，其质衰也。何以论之？和氏之璧，不饰以五采；随侯之珠，不饰以银黄。其质至美，物不足以饰之；夫物之待饰而后行者，其质不美也。是以父子之间，其礼朴而不明。故曰礼薄也。凡物不并盛，阴阳是也；理想夺予，威德是也；实厚者貌薄，父子之礼是也。由是观之，礼繁者，实心衰也。然则为礼者，事通人之朴心者也。众人之为礼也，人应则轻劝，（原作"欢"，据顾广圻校改）不应则责怨。今为礼者事通人之朴心而资之以相责之分，能毋争乎？有争则乱。故曰："夫礼者，忠信之薄，而乱之首乎。"

先物行，先理动，理之前识。前识者，无缘而妄意度也。何以论之？詹何坐，弟子侍，有牛鸣于门外。弟子曰："是黑牛也，而白在其题。"詹何曰："然，是黑牛也，而白在其角。"使人视之，果黑牛而以布裹其角。以詹子之术，婴众人之心，华焉殆矣。故曰："道之华也。"尝试释詹子之察，而使五尺之愚童子视之，亦知其黑牛而以布裹其角也。故以詹子之察，苦心伤神，而后与五尺之愚童子同功，是以曰："愚之首也。"故曰："前识者，道之华也，而愚之首也。"

所谓大丈夫者，谓其智之大也。所谓"处其厚不处其薄"者，行情实而去礼貌也。所谓"处其实不处其华"者，必缘理不径绝也。所谓"去彼取此"者，去礼貌、径绝，（貌上"礼"字各本无，据顾广圻校增）而取缘理、好情实也。故曰："去彼取此。"

据《韩非子》此文则《老子》三十八章，《韩》本当作：

上德不德，是为有德。下德不失德，是以无德。上德无为而无不为也，下德为之而有以为也。（韩非子不释此句，据上句加也字）上仁为之而无以为也，上义为之而有以为也。上礼为之而莫之应，则攘臂而扔之。故失道而后失德，失德而后失仁，失仁而后失义，失义而后失礼。夫礼者，忠信之薄也，而乱之首乎？前识者，道之华也，而愚之首也。是以大丈夫处其厚不处其薄，处其实不处其华，故去彼取此。

此与今本《老子》大异者，惟"上德无为而无不为"及"失道而后失德，失德而后失仁，失仁而后失义，失义而后失礼"等句，今本作"上德无为而无以为""失道而后德，失德而后仁，失仁而后义，失义而后礼。"其义恉盖大异也。其解释《老子》固甚为翔实，而以冠于一篇之首，亦可见韩非之重视此章矣。然韩非学老子之学，所以卒变而为刑名者，盖亦可以于此章得其大体矣。盖韩非唯以有德则无德，无德则有德，故不为老子之"上德无为"而专为其"上德之无不为"者也。故曰："故以无为、无思为虚者，其意常不忘虚，是制于为虚也。虚者，谓其意无所制也。今制于为虚，是不虚矣。虚者之无为也，不以无为为有常。不以无为有，常则虚。虚则德盛。"此固持之有故，言之成理。然其以不必虚为虚，故以不必无为为无为。是以一旦受环境压迫，则随其性之所近而趋于极端。于是以无不为而后可以无为矣。夫无不为,斯所以不能不持极端之干涉主义矣。干涉之道莫要于赏罚,故不得不严刑重赏以为其干涉之方法;而其干涉之目的,则又在乎欲达其崇实力之宗旨,盖又本于老子薄礼之说者。故其言以礼为情貌,文为质饰,大丈夫当行情实去礼貌;则一切文学言谈,在所当去,而唯从事于实事求是者矣。又韩非既专恃赏罚以达其干涉之目的,礼义既非所尚,斯不得不以术数济之。《老子》三十六章云:

> 将欲歙之,必固张之;将欲弱之,必固强之;将欲废之,必固兴之;将欲夺之,必固与之。

而韩非子《难一》篇云:

> 且臣尽死力以与君市,君垂爵禄以与臣市。君臣之际,非父子之亲也,计数之所出也。

是韩非直以臣欲得君之爵禄,故先尽其死力;君欲得臣之死力,故先垂其爵禄;皆欲取先与之义,计数之所出也。在老子之意,本欲揭破天下之阴谋,以见张强兴等不易居,而韩非则因而用之,以对待一切矣。又如《老子》六十七章云:

> 我有三宝,持而保之。一曰慈,二曰俭,三曰不敢为天下先。慈故能勇;俭故能广;不敢为天下先,故能成器长。……夫慈,以战则胜,以守则固。天将救之,以慈卫之。

而韩非《解老》释之云:

> 爱子者慈于子,重生者慈于身,贵功者慈于事。慈母之于弱子也,务致其福;务致其福,则事除其祸;事除其祸,则思虑熟;思熟虑,则得事理;得事理,则必成功;必成功,则其行之也不疑;不疑之谓勇。圣人之于万事也,尽如慈母之为弱子虑也,故见必行之道,则其从事亦不疑;不疑之谓勇。不疑生于慈,故曰:"慈,故能勇。"
>
> 周公曰:"冬日之闭冻也不固,则春夏之长草木也不茂。"天地不能常侈常费,而况于人乎?故万物必有盛衰,万事必有驰张,国家必有文武,官治必有赏罚。是以智士俭用其财则家富,圣人爱宝其神则精盛,人君重战其卒则民众,民众则国广。是以举之曰:"俭,故能广。"
>
> 凡物之有形者,易裁也,易割也。何以论之?有形则有短长,有短长则有小大,有小大则有方圆,有

方圆则有坚脆，有坚脆则有轻重，有轻重则有黑白。短长、大小、方圆、坚脆、轻重、黑白，之谓理。理定而物易割也。故议于大庭而后言则立，权议之士知之矣；故成方圆而随其规矩，则万事之功形矣。而万物莫不有规矩，议言之士计会规矩也。圣人尽随于万物之规矩，故曰："不敢为天下先。"不敢为天下先，则事无不事，功无不功，而议必盖世，欲无处大官，其可得乎？处大官之谓成事长。故曰：（原"故"上有"是以"字，据王先慎校删）不敢为天下先，故能为成事长。"（成事长，今《老子》作"成器长"，异文也）

慈于子者，不敢绝衣食；慈于身者，不敢离法度；慈于方圆者，不敢舍规矩。故临兵而慈于士吏，则战胜敌；慈于器械，则城坚固。故曰："慈于战则胜，以守则固。"

此解释《老子》则纯然刑名家之论调矣。夫老子之慈，所以勇于爱人也，而韩非引而申之，则以谓见必成之功，行不疑之事。老子之俭，所以为爱人之资也，而韩非引而申之，则以谓重战则民众，民众则国广，则所以俭者乃所以为侵略之资矣。老子之不敢为天下之先，恐先则近于争，而为爱人之累，而韩非引而申之，以法度为尽万物之规矩。而其《五蠹》篇云：

故明主之国，无书简之文，以法为教；无先王之语，以吏为师；无私剑之捍，以斩首为勇。是境内之民，其言谈者必轨于法，动作者必归之于功，为勇者尽之于军。是故无事则国富，有事则兵强。此之谓王资。既畜王资，而承敌国之疊，超五帝、侔三王，必此法也。

此其论恉固与老子大殊，然苟以韩非《解老》篇对勘，则可知其为本于老子之言，而变本加厉者矣。夫老子之言，太史公叹其深达，岂一端而已哉？而韩非则因其性之所近，与环境之所迫，愤而趋于极端矣。盖老子明人之诈，所以使天下之人知所防；而韩非则处于诈伪之环境，知天下之诈防无可防，而遂不得以诈伪之心待人，如上所引计数之说是也。老子则教人为善，而韩非则处恶毒之环境，知天下人无可教，而不得不以不肖之心待人。故《六反》篇云：

老聃有言曰："知足不辱，知止不殆。"夫以殆辱之故，而不求于足之外者，老聃也。今以为足民而可以治，是以民为皆如老聃也。故桀为天下而不足于尊，富有四海而不足于宝。君人者虽足民，不能足使为天子，而桀未必以天子为足也，则虽足民，何可以为治也。故明主之治国也，适其时事，以致财物；论其税赋，以均贫富；厚其爵禄，以尽贤能；重其刑罚，以禁奸邪。使民以力得富，以事致贵，以过受罪，以功致赏，而不念慈惠之赐。此帝王之政也。

既以不肖待人，则道德亦非所尚矣。故其《显学》篇云：

> 夫严家无悍虏，而慈母有败子。吾以此知威势之可以禁暴，而德厚之不足以止乱也。夫圣人之治国，不恃人之为吾善也，而用其不得为非也。恃人之为吾善也，竟内不什数；用人不得为非，一国可使齐。为治者用众而舍寡，故不务德而务法。

斯则与老子道德之恉大相反矣。盖韩非之于老子学说，往往得其反面，故不觉始合而终分，皆个人之天性与环境之压迫使然也。又况身当战国之末，儒以文乱法，侠以武犯禁，墨翟之兼爱，杨朱之为我，战国诸子之以学术争鸣于天下者，不可胜数。高者虽心乎生民，而手无斧柯，虚言不足救国；卑者且以空谈取宠，无裨实用。则韩非之于老学，又安得不远离其宗乎？于是韩非乃易老子之三宝而自有其三道矣。《诡使》篇云：

> 圣人所以为治道者三：一曰利，二曰威，三曰名。夫利者所以得民也，威者所以行令也，名者上下之所道也。非此三者，虽有不急矣。

夫"非此三者，虽有不急"，则老子之三宝，盖已非所急，而易以利、威、名三者为其三宝矣。于是与老子政治之宗旨乃大相倍戾。《老子》三十七章云：

> 道常无为，而无不为。侯王若能守之，万物自化。化而欲作，吾将镇之以无名之朴。无名之朴，夫亦将无欲。不欲以静，天下将自定。

老子欲镇天下以无欲，而韩非则欲召天下以多欲矣。欲者何？名利是也。《老子》七十二章云：

> 民不畏威，则大威至。

七十四章云：

> 民不畏死，奈何以死惧之？

盖老子乃深疾当时之政府威吓民众，而韩非则欲以威劫天下矣。以此可以见人之思想，关于所学者固甚小，而关于天性及环境者乃甚大也。世之以书本教育、学校教育为万能者，可以憬然悟矣。

庄、韩两家老学之比较

庄、韩两家之学，皆出于老子，已如上两篇所述矣。然庄则持绝对放任主义，韩则持绝对干涉主义，殆如冰炭之不相同焉。盖本其性情之异，因环境之压迫，而遂各走极端者也。盖当时政府不良，故法度不明、是非不定、赏罚不当，荣辱凭其喜怒，生死随其俯仰。谓有政府，则政府之政令不行；谓无政府，则人民之自由丧失。两端之蔽既呈，则以性情之别，各从其一端而为观察，而所见遂各有不同矣。所见既有不同，而所学又因性情之别，所得又不能无异。于是以偏见之学，救偏见之弊，故其始虽同于一本，其末乃如胡、越矣。此庄、韩之所以本同而末异也。盖尝试论之，庄、韩之学同本于老子，而同得于《老子》第三十八章者为尤多：

> 上德不德，是以有德。下德不失德，是以无德。上德无为而无以为，下德为之而有以为。上仁为之而无以为，上义为之而有以为。上礼为之而莫之应，

则攘臂而扔之。故失道而后德，失德而后仁，失仁而后义，失义而后礼。夫礼者，忠信之薄，而乱之首；前识者，道之华，而愚之始。是以大丈夫处其厚不居其薄，处其实不居其华。故去彼取此。

此章"上德无为而无以为"句，据《韩非子》当作"上德无为而无不为"。以第四十八章"无为而无不为"句证之，韩非作"无不为者"是也。盖庄子有得于老子之"上德无为"，而韩非则有得于老子之"上德无不为"者也。又老子谓"上德不德，是以有德"。庄子者，盖以"不德"为使人不知德；而韩非者，则以"不德"为无德，上德不德，反而言之，则有德为不德矣。老子又云："有之以为利，无之以为用。"庄子盖有见于老子无之用，则韩非则有见于老子有之利者也。《庄子·马蹄》篇云：

马，蹄可以践霜雪，毛可以御风寒，龁草饮水，翘足而陆，此马之真性也。虽有义台、路寝，无所用之。及至伯乐曰："我善治马。"烧之剔之，刻之雒之，连之以羁馽，编之以皁栈，马之死者十二三矣。驰之骤之，整之齐之，前有橛饰之患，而后有鞭策之威，而马之死者已过半矣。陶者曰："我善治埴，圆者中规，方为中矩。"匠人曰："我善治木，曲者中钩，直者应绳。"夫埴、木之性，岂欲中规矩钩绳哉？然且世世称之曰："伯乐善治马，而陶匠善埴木。"此亦治天下者过也。

庄子之崇尚自然如此。韩非则不然。《显学》篇云：

夫必恃自直之箭，百世无矢；恃自圜之木，千世无轮矣。自直之箭，自圜之木，百世无有一，然而世皆乘车射禽者，何也？隐栝之道用也。虽有不恃隐栝而有自直之箭、自圜之木，良工弗贵也。何则？乘者非一人，射者非一发也。

韩非之崇尚人力如此。盖庄子以无用为主，故一任其自然，而曲直方圆无所容心，此所以无为也。韩非则以有用为主，故不能不以一切皆纳之于规矩绳墨之中，此所以无不为也。无为也，故对于政治纯取放任主义。《徐无鬼》篇云：

黄帝将见大隗乎具茨之山，方明为御，昌寓骖乘，张若、諿朋前马，昆阍、滑稽后车。至于襄城之野，七圣皆迷，无所问涂。适遇牧马童子，问涂焉。曰："若知具茨之山乎？"曰："然。""若知大隗之所在乎？"曰："然。"黄帝曰："异哉，小童！非徒知具茨之山，又知大隗之所在。请问为天下。"小童曰："夫为天下者，亦若此而已矣，又奚事焉？予少而自游于六合之内，予适有瞀病，有长者教予曰：'若乘日之车而游于襄城之野。'今予病少痊，予又且复游于六合之外。夫为天下，亦若此而已。予又奚事焉？"黄帝曰："夫为天下者，则诚非吾子之事。虽然，请问为天下。"小童曰："夫为天下者，亦奚以异乎牧马者哉？亦去其害马者而已矣。"黄帝再拜稽首，称天师而退。

此以牧马之放任，喻为天下之放任也。韩非则不然。《六反》篇云：

母之爱子也倍父，父令之行于子者十母；吏于民无爱，令行于民也万父母。父母积爱而令穷，吏用威严而民听从，严爱之策亦可决矣。

此持干涉主义之说也。此两家对于政治极端相反之说也。其对于仁义礼智，则皆本于老子之说，而大肆讥弹。然庄子之讥也，以其开奸诈之先，为争夺之本。《胠箧》篇云：

将为胠箧、探囊、发匮之盗，而为守备，则必摄缄縢，固扃鐍，此世俗之所谓知也。然而巨盗至，则负匮、揭箧、担囊而趋，唯恐缄縢扃鐍之不固也。然则乡之所谓知者，不乃为大盗积者也？故尝试论之，世俗之所谓知者，有不为大盗积者乎？所谓圣者，有不为大盗守者乎？何以知其然邪？昔者齐国，邻邑相望，鸡狗之音相闻，罔罟之所布，耒耨之所刺，方二千余里。阖四境之内，所以立宗庙社稷，治邑屋州闾乡曲者，曷尝不法圣人哉？然而田成子一旦杀齐君而盗其国，所盗者岂独其国邪？并与其圣知之法而盗之。故田成子有乎盗贼之名，而身处尧舜之安。小国不敢非，大国不敢诛，十二世有齐国。则是不乃窃齐国，并与其圣知之法，以守其盗贼之身乎？故跖之徒问于跖曰："盗亦有道乎？"跖曰："何适而无道邪？夫妄意室中之藏，圣也；入先，勇也；出后，义也；知可否，知也；分均，仁也。五者不备，而能成大盗者，天下未之有也。"由是观之，善人不得圣人之道不立，跖不得圣人之道不行。天下之善人少，而不善人多，则圣人之利天下也少，而害天下也多。

此文虽非庄子所作，当亦其徒所为，甚足以代表庄子反对仁义礼智之悁矣。而韩非《五蠹》篇则云：

且民者固服于势,寡能怀于义。仲尼,天下圣人也,修行明道以游海内,海内说其仁,美其义,而为服役者七十人。盖贵仁者寡,能义者难也。故以天下之大,而为服役者七十人,而仁义者一人。鲁哀公,下主也,南面君国,境内之民莫敢不臣。民者固服于势,势诚易服人。故仲尼反为臣,而哀公顾为君;仲尼非怀其义,服其势也。故以义则仲尼不服于哀公,乘势则哀公臣仲尼。今学者之说人主也,不乘必胜之势,而务行仁义,则可以王;是求人主之必及仲尼,而以世之凡民皆如列徒。此必不得之数也。

此韩非掊击仁义之说也。盖庄子之视仁义以其开功利争夺之端,故务欲去之;而韩非则以其为防阻功利之物,故务欲废之也。老子曰:"夫唯不争,故天下莫能与之争。"庄子盖得其"夫唯不争"一句,故务去争之本;韩非盖得其"天下莫能与之争"一句,故务去争之障碍也。老子以失道德而后有仁义礼。庄子承之,故欲去仁义礼而为其上德之德,以求复其初;韩非则不然,以谓道德既失,仁义礼亦不足治之,故非严刑峻法不足以善其后。其所以行严刑峻法而无疑者,盖亦本老子之"上德不德"者也。《显学》篇云:

> 民智之不可用，犹婴儿之心也。夫婴儿不剔首则腹痛，不揃痤则寖益。剔首、揃痤，必一人抱之，慈母治之；然犹啼号不止，婴儿子不知犯其所小苦，致其所大利也。今上急耕田垦草以厚民产也，而以上为酷；修刑重罚以为禁邪也，而以上为严；征赋钱粟以实仓廪，且以救饥馑，备军旅也，而以上为贪；境内必知介而无私解，并力疾斗，所以禽虏也，而以上为暴。此四者，所以治安也，而民不知悦也。

此韩非以不德为德之说，尤显而易知者矣。老子之书虽盛称古昔，然其第五章云："圣人不仁，以百姓为刍狗。"《庄子·天运》篇释"刍狗"之义云：

> 孔子西游。颜渊谓师金曰："以夫子之行为奚如？"师金曰："惜乎！而夫子其穷哉！"颜渊曰："何也？"师金曰："夫刍狗之未陈也，盛以箧衍，巾以文绣，尸祝齐戒以将之；及其已陈也，行者践其首脊，苏者取而爨之而已。将复取而盛以箧衍，巾以文绣，游居寝卧其下，彼不得梦，必且数眯焉。今而夫子亦取先王已陈刍狗，聚弟子游居寝卧其下，故伐木于宋，削迹于卫，穷于商周，是非其梦邪？围于陈蔡之间，七日不火食，死生相与邻，是非其

睐邪？夫水行莫如用舟，而陆行莫如用车。以舟之可行于水也，而求推之于陆，则没世不能寻常。古今非水陆与？周、鲁非舟车与？今蕲行周于鲁，是犹推舟于陆也。劳而无功，身必有殃。彼未知夫无方之传，应物而不穷者也。子独不见夫桔槔者乎？引之则俯，舍之则仰。彼人之所引，非引人也，故俯仰而不得罪于人。故夫三皇五帝之礼义法度，不矜于同而矜于治。故譬三皇五帝之礼义法度，其犹柤梨橘柚邪？其味相反，而皆可于口。故礼义法度者，应时而变者也。今取猨狙而衣以周公之服，彼必龁啮挽裂，尽去而后慊。观古今之异，犹猨狙之异乎周公也。故西施病心而矉其里，其里之丑人见而美之，归亦捧心而矉其里。其里之富人见之，坚闭门而不出；贫人见之，挈妻子而去之走。彼知矉美，而不知矉之所以美。惜乎，而夫子其穷哉！"

然则刍狗之为物，盖已陈则废。老子之言，所以喻礼义法度之为物，亦当已陈则废也。然仁义法度从何而出？曰："出于先王。"故庄、韩两家，承其说，遂诋诃先王，排斥礼义。虽然亦各有别焉。庄子之诋先王，诋先王之以礼乐启民诈伪，而欲为上古之无为。《缮性》篇云：

古之人，在混芒之中，与一世而得澹漠焉。当是时也，阴阳和静，鬼神不扰，四时得节，万物不伤，群生不夭。人虽有知，无所用之。此之谓至一。当是时也，莫之为而常自然。逮德下衰，及燧人、伏羲始为天下，是故顺而不一。德又下衰，及神农、黄帝始为天下，是安而不顺。德又下衰，及唐、虞始为天下，兴治化之流，澆淳散朴，离道以善，险德以行，然后去性而从于心。心与心识，知而不足以定天下，然后附之以文，益之以博。文灭质，博溺心，然后民始惑乱，无以反其性。

是庄子盖以开化为进于诈伪，故非先王之不古而欲反之大古者也。韩非则不然，《五蠹》篇云：

上古之世，人民少而禽兽众，人民不胜禽兽虫蛇。有圣人作，构木为巢，以避群害，而民悦之，使王天下，号之曰有巢氏。民食果蓏蚌蛤，腥臊恶臭，而伤害腹胃，民多疾病。有圣人作，钻燧取火，以化腥臊，而民悦之，使王天下，号之曰燧人氏。中古之世，天下大水，而鲧、禹决渎。近古之世，桀、纣暴乱，而汤、武征伐。今有构木、钻燧于夏后氏之世者，必为鲧、禹笑矣；有决渎于殷、周之世者，必为汤、武笑矣。然则美尧、舜、汤、武、禹之道于当今之世者，必为新圣笑矣。

此韩非之非先王，盖以时代日进，古道不适于今者也。然则庄子之非古，而欲再反于古，是退化之说也；韩非之非古，乃务欲以适于今，是进化之说也。韩非盖以过去之法皆为已陈之刍狗，而不知今日之进化，亦由过去之阅历使然也；庄子则独知黄帝、尧、舜为已陈之刍狗，而不知太古之浑沌，亦已陈之刍狗也。此庄、韩极端之异也。虽然，亦有其同者焉。《庄子·秋水》篇云：

> 昔者尧、舜让而帝，之、哙让而夺；汤、武争而王，白公争而灭。由此观之，争让之礼，尧、桀之行，贵贱有时，未可以常也。

《韩非子·五蠹》篇云：

> 古者文王处丰镐之间，地方百里，行仁义而怀西戎，遂王天下；徐偃王处汉东，地方五百里，行仁义，割地而朝者三十有六国，荆文王恐其害己也，举兵伐徐，遂灭之。故文王行仁义而王天下，偃王行仁义而丧其国。是仁义用于古，不用于今也。故

曰:"世异则事异。"

此其以时势不同,故先王之道不能行于今,其见解一也。然韩非于此,视之甚真,持之甚坚,故于上文继之云:

> 上古竞于道德,中世逐于智谋,当今争于气力。

此韩非学说,以适应潮流为主义者也。庄子则不然,尝于《山木》篇述其理想国曰:

> 市南宜僚见鲁侯,鲁侯有忧色。市南子曰:"君有忧色,何也?"鲁侯曰:"吾学先王之道,修先君之业;吾敬鬼尊贤,亲而行之,无须臾离居。然不免于患,吾是以忧。"市南子曰:"君之除患之术浅矣。夫丰狐文豹,栖于山林,伏于岩穴,静也;夜行昼居,戒也;虽饥渴隐约,犹旦胥疏于江湖之上而求食焉,定也。然且不免于罔罗机辟之患,是何罪之有哉?其皮为之灾也。今鲁国独非君之皮邪?吾愿君剥形去皮,洒心去欲,而游于无人之野。南越有邑焉,名为建德之国。其民愚而朴,少私而寡欲,知作而不知藏,与而不求其报,不知义之所适,不知

> 礼之所将,猖狂妄行,乃蹈乎大方,其生可乐,其死可葬。吾愿君去国捐俗,相辅而行。"君曰:"彼其道远而险,又有江山,我无舟车,奈何?"市南子曰:"君无形倨,无留居,以为君车。"君曰:"彼其道幽远而无人,吾谁与为邻?吾无粮,我无食,安得而至焉?"市南子曰:"少君之费,寡君之欲,虽无粮而乃足。君其涉于江而浮于海,望之而不见崖,愈往而不知其穷。送君者皆自崖而返,君自此远矣。"

此所谓建德之国,乃庄子之理想国,盖形容太古混芒之状者也。然则庄子学说,乃以逆当时之潮流为主义者矣。盖庄子以为仁义已不适于今,若再逐流而往,其祸将不知伊于胡底。故《庚桑楚》篇引庚桑子云:

> 吾语女:"大乱之本,必生于尧舜之间,其末存乎千世之后;千世之后,其必有人与人相食者也。"

庄子盖知夫道德之失,必继之以智谋;智谋之后,必继之以气力,其敝有不可胜穷者。故曰"千世之后,必有人与人相食者也"。

由此观之,则庄、韩之本同末异,可以明矣。质而论之,老子之言多两端,而庄、韩各执其一。如老子云:

	庄子		韩非子
道常	无为	而	无不为（三十七章）
上德	无为	而	无不为（三十八章）
以其终	不自大	故能	成其大（三十四章）
夫唯	弗居	是以	不去（二章）
夫唯	不争	故	天下莫能与争（二十二章）

又云：

韩非子		庄子
有之以为利		无之以为用（十一章）
明道	若	昧
进道	若	退
夷道	若	纇
大白	若	辱
大成	若	缺
大盈	若	冲
大直	若	屈
大巧	若	拙
大辩	若	讷

此庄、韩两家对于老说各执一端之大略也。是故同是掊击仁义也，庄子则唯欲达其无为，韩非则唯欲达其无不为；同是绝圣弃智也，韩非则唯欲求其大巧大辩，

庄子则唯欲求拙与讷。此求之庄、韩两家之书，皆显而易见者矣。

两家老学之异，既如此。而其《老子》传本亦各有不同。老子第三十八章云：

> 故失道而后德，失德而后仁，失仁而后义，失义而后礼。夫礼者，忠信之薄，而乱之首；前识者，道之华，而愚之始。（王弼本）

据韩非《解老》篇则为：

> 故失道而后失德，失德而后失仁，失仁而后失义，失义而后失礼。夫礼者，忠信之薄也，而乱之首乎？前识者，道之华也，而愚之首乎？（原作也据上句改"乎"）

清儒卢文弨校《韩非子》云：

> 凡而后下俱不当有"失"字。

此据今本《老子》以改《韩非子》者也。刘师培校《老子》云：

> 据《韩非》则今本脱四"失"字。《老子》之旨，盖言道失而德从而失，德失而仁从而失，仁失而义从而失，义失而礼从而失也。

此又欲据《韩非》以增《老子》原文者也。吾以谓《韩非》所引此数句，均有失字，不应误增如此。而《庄子·知北游》则云：

> 故曰："失道而后德，失德而后仁，失仁而后义，失义而后礼。礼者，道之华而乱之首也。"

庄子所谓"失道"数句，与今本《老子》同而与韩异。则可知庄、韩所传《老子》本，其文字亦不无歧异。考据家据此改彼，均未为是也。

新定《老子》章句

《老子》五千余言,均为短章杂记体。今本分上、下两篇,共八十一章,必非原书之旧。近世学者多已言之,且多已订定,然鄙见不能尽同也。兹复详为审订,并略录校语如下:

一章

道可道,非常道;名可名,非常名。无,名天地之始;有,名万物之母。(王弼以"有名""无名"连读。司马光、王安石于"无"字断句。罗振玉云:"無",景龙本、敦煌本,皆作"无",下并同。)故常无,欲以观其妙;(毕沅云:古无"妙"字。《易》:妙虑万物而为言。王肃本作"眇"。马叙伦云:"妙"当作"杪"。《说文》:杪,木标末也。后同。)常有,欲以观其徼。(王弼以"有欲""无欲"连读。司马光、王安石以"有"字、"无"字断句。马叙伦云:"徼"当作"窍",后同。《说文》:窍,空也。窍、杪对言。)此两者同,出而异名。(毕沅云:陈景元以"此两者同"为句。严复云:"同"字逗。)同谓之玄。玄之又玄,众妙之门。(王弼本标题云：一章。河上公本以为体道章。）

二章

天下皆知美之为美，斯恶已；皆知善之为善，斯不善已。故有无相生，难易相成，长短相形（毕沅云：王弼作"较"，陆德明亦作"较"，并非。古无"较"字。本文以"形"与"倾"为韵，不应用"较"，又明矣。罗振玉：各本皆作"形"，《释文》依王本作"较"。），高下相倾，音声相和，前后相随。是以圣人处无为之事，行不言之教。（马叙伦云：自"是以圣人"以下，与前文义不相应。此二句当在四十三章，"不言之教，无为之益，天下稀及之矣"下。柱按：马校非也。《庄子·齐物论》即阐发此章之旨。先言是非成毁，而后言大道不称，大辩不言，则此"处无为之事，行不言之教"，非与前文不接明甚。此下各本有"万物作焉，生而不有，为而不恃，功成而弗居。夫唯弗居，是以弗去"二十八字。马叙伦云：此文"生而不有"以下皆五十一章之文。盖因错简而校者有增无删，遂复出也。柱谓：马说非也。如马说，则"万物作焉而不辞"句为无着。老子五千文，本杂记体，非无复句之可能也。愚谓此数句当是第五章之错简。今移下。此与拙著《老子集训》所校不同，读者宜参焉。王弼本自"天下皆知"，至"是以弗去"，标题"二章"。河上公本以此为养身章。）

三章

不尚贤，（罗振玉云：景龙本"尚"作"上"，敦煌本作"不上宝"。）使民不争；不贵难得之货，使民不为盗；（罗振玉云：景龙、御注、敦煌三本均无"为"字。）不见可欲，使民心不乱。（纪昀云：各本俱无"民"，惟《永乐大典》本有之。刘师培云：《文选·东京赋》注、《易·艮卦》释文引并无"民"字。盖唐初避讳，删此字也。古本实有"民"字，与上二句一律。柱按：刘氏谓古本实有"民"字，与上二句一律，是也。然唐人所见本无"民"字，非关避讳，上二句两"民"字亦不避也。）是以圣人之治，虚其心，实其腹，弱其志，强其骨，常使民无知无欲；使夫知者不敢为也，为无为则无不治。（王弼本题云：三章。河上公本以此为安民章。）

四章

道，盅而用之，（各本作"冲"，今从《说文》作"盅"。）或不盈，渊兮似万物之宗，（各本此下有"挫其锐，解其纷，和其光，同其尘"四句。马叙伦云：此四句，乃五十六章错简。柱按：马说是也。"渊兮似万物之宗"与"湛兮似或存"相接。若间以"挫其锐"四句，文义颇为牵强。）湛兮似或存，（罗振玉云：景龙、御注二本均作"湛常存"，敦煌本作"湛似常存"。）吾不知谁之子，象帝之先。（王弼本题云：四章。河上公本以此为无原章。）

五章

天地不仁，以万物为刍狗；圣人不仁，以百姓为刍狗。万物作焉而不辞，生而不有，为而不恃，功成而弗居。夫唯弗居，是以弗去。（"万物作焉"以下，各本在第二章"行不言之教"下。此章言天地无仁恩于物，而自生物；圣人治民，亦当法之也。）

天地之间，（易顺鼎云：《文选·文赋》注引"间"作"门。"盖别本，与"众妙之门""玄牝之门"同义。）其犹橐籥乎？虚而不诎，动而俞出。（"诎"各本作"屈"、作"掘"，"俞"作"愈"。今从毕沅校唐傅弈本。毕沅云："诎"，河上公作"屈"，王弼作"掘"，王弼非"俞"，诸本并作"愈"。案古无"愈"字。罗振玉云：景龙本"愈"作"俞"。）

多言数穷，不如守中。（傅弈本作"言多数穷"。焦竑云：龙兴碑作"多闻数穷"。毕沅云：诸本并作"多言数穷"。马叙伦云：《文子·道原》篇引作"多闻"，"数"借为"速"。王弼本自"天地不仁"至此题云：五章。河上公本以此为虚用章。）

六章

谷神不死，（毕沅云："谷"，后汉陈相边韶《老子碑铭》引作"浴"。俞樾云："浴"者"谷"之异字；"谷"者"榖"之假字。洪颐煊云："谷""浴"并"欲"之借字。）是谓玄牝。玄牝之门，是谓天地根。（罗振玉云：景龙、御注二本均作"玄牝门，天地根"。）

绵绵若存，用之不勤。（以上王弼本题云：六章。河上公以此为成象章。）

七章

天长地久。天地所以能长且久者，以其不自生，故能长生。（焦竑云龙兴碑作"故能长久"。罗振玉云："生"，景龙本作"久"。柱按：作"久"者，非是。）是以圣人后其身而身先，外其身而身存。非以其无私邪？（"邪"各本作"耶"，俗。今正。）故能成其私。（马叙伦云：自"是以圣人"以下，文义不属，疑系错简。或上文"以其不自生"之"生"字，当为"私"字。柱按：马说非也。此以天地不自生，故能长其生，明圣人不自私，故能成其私。以上王弼本题云：七章。河上公本以此为韬光章。）

八章

上善若水。水善利万物而不争。夫唯不争，故无尤。（各本此句居章末，在"动善时"之下。今按上文"功成而弗居。夫唯弗居，是以弗去"，则此文当同一例。故移至此。）居众人之所恶，故几于道。

居善地，（马叙伦云：此上盖脱一句，此文两句一韵，地、人、治、时皆韵也。）心善渊，与善人，言善信，正善治，（罗振玉云：景龙、御注、景福三本"正"并作"政"。）事善能，动善时。（各本此数句在"故几于道"之上。今按此与上下文义不涉，当别为一章。王弼本自"上善"至此,题云:八章。河上公本以此为易性章。)

九章

持而盈之,不如其已;(罗振玉云:景龙本作"不若其以"。柱按:"已""以"古皆作"已。")揣而梲之,("揣"傅奕本作"歂"。毕沅云:诸本并作"揣"。《说文解字》无"歂"字,有"敼"字,云:有所治也。疑"歂"字即"敼"字之讹。"梲"河上公本作"锐。"罗振玉云:河上、景龙、御注、景福诸本,皆作"锐"。)不可长保;金玉满堂,莫之能守;富贵而骄,自遗其咎;(日本《群书治要》本作"还自遗咎"。)功成,名遂,身退,天之道。(焦竑云:龙兴碑作"名成功,遂身退"。毕沅云:王弼作"功遂身退,天之道"。诸本并作"功成名遂身退,天之道"。罗振玉云:景龙、御注、景福三本,均作"功成名遂身退"。以上王弼本题云:九章。河上公本以此为运移章。)

十章

载营魄褱一,能无离?("褱"各本作"抱",兹从傅奕本。"离"下各本均有"乎"字,兹从宋河上本。毕沅云:褱,裹也,抱同挎,取也。义应用褱字。罗振玉云:景龙、御注、敦煌乙丙、英伦诸本,均无"乎"字。以后各"乎"字同。)专气致柔,能婴儿?(傅奕本"能"下有"如"字。今从王弼本。罗振玉云:景福本"能"

下有"如"字。)涤除玄览，能无疵？爱民治国，能无知？（罗振玉云：河上本"治"作"活"。敦煌丙本"能"作"而"。）天门开阖，能为雌？（河上公本、王弼本均作"无雌"。傅奕本作"为雌"。罗振玉云：敦煌丙本"门"作"地"。敦煌乙丙二本"能无"作"而为"。景龙、御注、英伦三本均作"能为"。）明白四达，能无为？（傅奕本"无"下有"以"字。毕沅云"无以为"，河上公作"能无知"。罗振玉云：景龙、御注、景福、英伦诸本"为"均作"知"，敦煌丙本亦作"为"。柱按：此下各本有"生之畜之，生而不有，为而不恃，长而不宰，是谓玄德"二十字，薛惠云：一本无"生之畜之"一句。马叙伦云：自"生之畜之"以下，与上文义不相应。此文为五十一章错简。柱按：马说是也。自"载营"至"是谓玄德"，王弼本题云：十章。河上公本以此为能为章。）

十一章

三十辐共一毂，（罗振玉云：敦煌乙丙本、景龙、广明本"三十"均作"卅"。）当其无有，车之用；（毕沅云：本皆以"当其无"断句。案《考工记》，"利转者以无有为用也"，是应以"有"字断句。）埏埴以为器，当其无有，器之用；（"埏"，王弼本如此。傅奕本作"挻"。罗振玉云：御注本作"挻"，景龙本、敦煌丙本作"埏"。马叙伦云：《说文》无"埏"字。当依王本作"挻"，而借为搏。）凿户牖以为室，当其无有，室之用。故有之以为利，无之以为用。（以上王弼本题云：十一章。河上公本以此为无用章。）

十二章

五色令人目盲，五音令人耳聋，五味令人口爽，驰骋田猎（王弼本"田"作"畋"。傅奕本作"田"。罗振玉云：景龙、景福、敦煌乙丙、御注诸本，均作"田"。马叙伦云：古无"田猎"专字。）令人心发狂，难得之货令人行妨。是以圣人为腹不为目，故去彼取此。（以上王弼本题云：十二章。河上公本以此检欲章）

十三章

宠辱若惊，贵大患若身。何谓宠辱若惊？宠为上，辱为下；（王弼本作"何谓宠辱若惊？宠为下"。傅奕本、宋刊河上公本作"何谓宠辱？宠为下"。俞樾云：陈景元本、李道纯本均作"何谓宠辱若惊？宠为上，辱为下"。可据以订正诸本之误。罗振玉云：河上、景龙、御注、景福、敦煌丙诸本，均无"若惊"二字，"宠为下"景龙本"宠"作"辱"。景福本作"宠为上，辱为下"。柱按：俞说是也。今从之。）得之若惊，失之若惊，是谓宠辱若惊。何谓贵大患若身？吾所以有大患者，为吾有身，及吾无身，（"及"，傅奕作"苟。"）吾又何患？故贵以身为天下，（罗振玉云：景龙及敦煌丙本"为"均作"于"）若可寄天下；爱以身为天下，（罗振玉云：广明、景福二本，"爱以身"作"爱身以"）若可托天下。（柱按：《庄子·在宥篇》此二句作"故贵以身于为天下，则可以托天下；爱以身于为天下，则可以寄天下"。以上王弼本题云：十三章，河上公本以此为厌耻章。）

十四章

视之不见名曰夷，听之不闻名曰希，抟之不得（"抟"各本作"搏"。易顺鼎云："搏"乃"抟"之误。宋陈抟，字希夷，即取此义。易说是也。今从之。）名曰微。此三者不可致诘，故混而为一。其上不皦，（傅奕本"其"上有"一者"二字。"上"下有"之"字。敦煌本"皦"作"皎"。）其下不昧，（傅奕本"下"下有"之"字。）绳绳兮，不可名。（王弼本无"兮"字。兹从傅奕本。罗振玉云：景福本"绳"下有"兮"字。）复归于无物。是谓无状之状、无象之象，是谓芴芒。（焦竑云：龙兴碑无此句。毕沅云：河上公作"忽恍"，王弼作"惚恍"，河上"忽"是，弼"恍"是，其"恍""惚"则并非也。奕借"芒刺菲芴"之字为之，与庄子"杂乎芒芴之间"字同。罗振玉云：景龙、御注、景福三本作"忽恍"）迎之不见其首，随之不见其后。

执古之道，以御今之有。（罗振玉云："御"，景龙本作"语"。）能知古始，是谓道纪。（罗振玉云："纪"，景龙本作"己"。以上王弼本题云：十四章。河上公本以此为赞元章。柱按："随之不见其后"，以上形容道体。"执古之道"以下，言执古御今。义不相蒙，应各为一章。）

十五章

古之善为天下者，（傅奕本作"为道"。毕沅云："道"，河上公、王弼作"士"。俞樾云：河上公注曰：谓得道之君也。则善为士者，当作善为上者。易顺鼎云：《文子·上仁篇》引作"古之善为天下者"，疑"士"字为"天下"二字之误。马叙伦云：《后汉书·党锢传》注引作"道"。论文，"道"字为是。柱按：当从《文子》作"天下"为是。《文子·上仁篇》所释，皆为天下之道也）微妙玄通，深不可识。夫唯不可识，故强为之容。（易顺鼎云：《文选·魏都赋》引"容"为"颂"，是也。"颂"为容貌本字。马叙伦本据改作"颂"。柱按："颂"之籀文为"䫀"，则"容"亦古假借字，不必改。傅奕本"容"下有"曰"字，非。）豫兮若冬涉川，犹兮若畏四邻，俨兮其若客，（王弼本"客"作"容"。罗振玉云：景福本作"客"。景龙、英伦、御注诸本，均作"俨若客"。柱按：傅奕本亦作"俨若客"，作"客"者是也。"客""释"为韵。作"容"者，因上文"强为之容"而误耳。）涣兮若冰之将释，（马叙伦云："冰"当作仌。）敦兮其若朴，（马叙伦云："敦"借为"㮣"。古书"混沌"或"困敦"或作"混敦"。）旷兮其若谷，（马叙伦云：《文子·上仁篇》"旷"作"广"。此句在"混兮"句下。）混兮其若浊。孰能晦，以理之徐明？孰能浊，以静之徐清？孰能安，以动之徐生？（各本无"孰能晦，以理之徐明"句。王弼本作"孰能浊以静之而徐清，孰能安以久动之徐生。"傅奕本作"孰能浊以澂靖之而徐清，孰能安以久动之而徐生。"河上公作"孰能浊以止静之徐清，孰能安以久动之徐生"。罗振玉：广明本作"孰能浊以静动之以徐清，孰能安以久动之以徐生"。马叙伦云：参校各本，及王注，此句上盖脱"孰能晦，以理之而徐明"一句。"孰能浊以澂靖之而徐清"，当作"孰能靖以止澂之而徐清"。

"浊"字因上文而讹衍，"澂""靖"二字又讹倒，又脱"止"字耳。柱按：王注云：夫晦以理物则得明，浊以静物则得清，安以动物则得生。其注文之静动字，即本文之静字动字。故按"孰能浊，以静之徐清"句法。则王本当作"孰能晦，以理之徐明"也。"安以久"句，景龙本无"久"字，王注亦不释"久"字。盖三句文法本同也。）**保此道者不欲盈。夫唯不盈，故能敝而复成。**（傅奕本作"是以能敝而不成"。毕沅云：河上、王弼作"故能蔽不新成"。《淮南子》作"故能弊而不新成"。罗振玉云：景龙本作"能弊复成"。柱按：今参校文义，定作"故能敝而复成"。以上王弼本题云：十五章。河上公本以此为显德章。）

十六章

至虚极，（"至"各本作"致"。罗振玉云：景福本作"至"。马叙伦云：宋河上本作"至"。）**守静笃。**（傅奕本"静"作"靖"。下同。毕沅云：依义，"笃"当作"竺"。）**万物并作，吾以观其复。**（王弼本无"其"字。此从傅奕本。毕沅云：河上公作"吾以是观其复"。《淮南子》作"吾以观其复也"。罗振玉云：景龙、御注、景福、英伦诸本"观"下均有"其"字。）**夫物芸芸，各复其根。**（傅奕本"夫"作"凡"，"芸"作"䒣"，"复"作"归"。毕沅云：河上公作"夫物芸芸，各复归其根"。王弼"夫"亦作"凡"。余与河上同。庄子作"万物云云，各复其根"。《说文解字》有"物数纷䒣"之言，是奕用正字。柱按：庄子作"云"，古本字也。）**归根曰静，静曰复命；**

("静曰"，王弼本作"是谓"。罗振玉云：景龙、御注、英伦三本并作"静曰"。)复命曰常，知常曰明。不知常，妄作，凶；(严可均云：河上"妄"，误作"萎"。罗振玉云：景龙本作"忘"。柱按：河上注云"妄作巧诈"，则河上本亦作"妄")知常容，容乃公，公乃周，周乃大，("周"各本作"王"，"大"各本作"天"。焦竑云：龙兴碑作"公能生，生能天"。马叙伦云：弼注曰："荡然公平，则乃至于无所不周普也。无所不周普，则乃至于同乎天也"。盖王本"王"字作"周"，周字脱坏成"王"，故龙兴碑改"王"为"生"耳。又疑"天"乃"大"字之讹，下文"吾强为名之曰大，字之曰道"、"天下皆谓吾大"皆可证。)大乃道，道乃久。(罗振玉云：五"乃"字，景龙本皆作"能"。)殁身不殆。("殁"，王弼本作"没"，傅奕本作"殁"。罗振玉云：御注本作"殁"。以上王弼本题曰十六章。河上公本以此为归根章。)

十七章

大上，下不知有之；("大"各本作"太"，"知"上各本无"不"字。彭耜云：陆、王弼"太"作"大"。毕沅曰："下知"吴澄作"不知"。胡适云：日本本"知"上有不字。柱按：《韩非子·难三》云："民知诛罚之皆起于身也，故习功利于业而不受赐于君。'太上，下智有之。'此言太上之下民无说也。""大""太"古字通，"知""智"古同一字。韩非引"智"上虽无"不"字，然上云"不受赐于君"，下云"无说"，皆释"不"字之义，疑韩非子"知"上脱"不"耳。审文以有

"不"字为长。)**其次，亲之，**(傅奕本如此，王弼本"之"作"而"。罗振玉云：景龙、御注、景福、英伦诸本均作"之"。)**誉之；**(傅奕本"誉"上有"其次"二字。毕沅云：河上公、王弼并作"其次亲而誉之"。陆希声作"其次亲之誉之"。)**其次，畏之，侮之。**(各本"侮"上有"其次"二字。罗振玉云：景龙、御注二本均为此二字。)

信不足，有不信。(傅奕本作"故信不足，焉有不信"。毕沅云：河上公作"有不足焉，有不信焉"。王弼作"信不足焉，有不信焉"。王念孙云：河上本无下"焉"字，是也。"信不足"为句，"焉有不信"为句，"焉"于是也。罗振玉云：景福本无下"焉"字，景龙、御注、英伦三本并无"焉"字。柱按：上下焉均当删。)

由兮其贵言哉？("由"，王弼本作"悠"，傅奕本作"犹"。"哉"字各本无，傅奕本有。罗振玉云：景龙本作"由"。柱按：此下各本有"功成事遂，百姓皆谓我自然"十一字。马叙伦云：论义盖三十七章之文。以上王弼本题云：十七章。河上公本以此为淳风章。)

十八章

大道废，有仁义；(傅奕本"有"上有"焉"字，下一句同。马叙伦云：易州"废"作"癈"，"仁"作"人"。罗振玉云：景龙本"仁"作"人"。)**智慧出，有大伪；**(毕沅云：河上公作"智惠"，王弼作"知慧"。罗振玉云：景龙、广明、景福三本均作"智惠"。)**六亲不和，有孝慈；**(罗振玉云：此三句"废"下、"出"下、"和"下，广明本均有"焉"字。下"国家昏乱，有忠臣""乱"下亦必有

"焉"字，石泐不可见。)国家昏乱，有忠臣。(傅奕本"忠"作"贞"。以上王弼本题云：十八章。河上公本以此为薄俗章。)

十九章

绝学无忧。(各本在下章"唯之与呵"句上。今据易顺鼎校改。)绝圣弃智，民利百倍；绝仁弃义，民复孝慈；绝巧弃利，盗贼无有。此三者，("三者"各本作"三者"。易顺鼎：《文子》引"绝学无忧"在"绝圣弃智"之上，疑古本如此。"绝学无忧"各二字为句。"学"与"忧"为韵。"倍""慈""有"为韵。胡适云：二十章首句"绝学无忧"当属十九章之末，与"见素抱朴，少私寡欲"两句为同等的排句。柱按：胡说非也。"见素抱朴，少私寡欲"为平列句。"绝学无忧"犹云绝学则无忧，与上二句句法不类。审校文义，以易说为是。"绝学"与"绝圣""绝仁""绝巧"，文义一例。)以为文不足，故令有所属：见素褒朴，("褒"各本作"抱"，傅奕本如此)少私寡欲。(以上王弼本题云：十九章。河上公本以此为还淳章。)

二十章

唯之与阿，(刘师培云："阿"当作"诃"，《说文》云：诃，大言而怒也。柱按："阿""诃"声借。)相去几何？善之与恶，相去何若？(王弼本作"若何"，傅奕本作"何若"。罗振玉云：景龙、御注、广明、景福诸本均作"何若"。柱按：作"何若"是也。"阿""何"韵，"恶""若"韵。)

人之所畏，不可不畏。（马叙伦云：此二句疑当在七十二章"民不畏威"之上。彼文"民"字当作"人"。柱按：马说非也。审校文义，与彼文亦不相接，当是别为一章。）荒兮其未央哉？（马叙伦云：此句与上下文不联，疑有脱讹。柱按：此叹可畏者之大也。）

众人熙熙，若享太牢，（"若"各本作"如"。罗振玉云：景龙本作"若"。下句同。）若春登台。我独廓兮其未兆？（罗振玉云：景龙本作"我魄未兆"。马叙伦云："兆"当为"兆"，《说文》曰："兆"，分也。）若婴儿之未咳，（"若"各本作"如"。"咳"各本作"孩"，傅奕本作"咳"。马叙伦云："孩""咳"一字。罗振玉云：景龙本"如"作"若"）儡儡兮若无所归。（傅奕本作"儡儡兮其不足以无所归"。毕沅云：河上公作"乘乘兮若无所归"，王弼作"儽儽若无归"，陆希作"儽儽兮若不足似无所归"。）众人皆有余，而我独若遗，我愚人之心也哉！沌沌兮！（罗运贤以此三字上属，是也。）俗人昭昭，我独若昏；（"若"，王弼本作"昏"，傅奕本作"若"。罗振玉云：景龙、御注、英伦三本均作"若"，景福本作"如"。）俗人察察，我独若闷。（"若闷"王弼本作"闷闷"，傅奕本作"若闷闷"。柱按：以诸本及上句校之，疑当作"若闷"。）忽兮其若晦，（王弼本作"澹兮其若海"。毕沅云：河上公作"忽兮若晦"，严遵作"忽兮若晦"。罗振玉云：广明、景福二本作"忽兮其若海"。柱按：审校文义，当为"忽兮其若晦"。）寂兮若无所止。（王弼本作"飂兮若无止"，傅奕本作"飘兮似无所止"。罗振玉云：御注、英伦二本作"寂兮似无所止"。柱案：审文义当为"寂兮若无所止"。）众人皆有以，而我独若顽且嚚。（王弼本作"我独顽似鄙"，傅奕本作"我独顽且鄙"。柱按：王注曰"故曰顽且鄙也"，则王本亦当作顽且鄙。其作"似"者，疑"似"字本在"顽"字上，而"似"又当为若字之讹。王本当为"而我独似顽且鄙"。其注云"若无所识"，可证也。"嚚"乃嚚嚚之本字。）我独异于人，而贵食母。（以上王弼本题云：二十章。河上公本以此为异俗章。）

二十一章

孔德之容，（罗振玉云："德"景龙本作"得"。）唯道是从。道之为物，唯芒唯芴。（"芒芴"字从傅奕本。下同。）芴兮芒，（各本句末有"兮"字。罗振玉云：御注、英伦二本作"忽兮恍"。下"芒兮芴"同。）中有象；（各本句首有"其"字。罗振玉云：景龙本无四"其"字。下"中有物""中有精"同。）芒兮芴，中有物；窈兮冥，（各本有"兮"字。罗振玉云：英伦本作"窈兮冥"）中有精。其精甚真，其中有信。自古及今，其名不去，以阅众甫。（《庄子》作"众父"。）吾何以知众甫之然哉？以此。（各本"然"作"状"。傅奕本作"然"。以上王弼本题云：二十一章。河上公本以此为虚心章。）

二十二章

曲则全，枉则直，洼则盈，敝则新，少则得，多则惑。是以圣人抱一，为天下式。不自见，故明；不自是，故彰；不自伐，故有功；不自矜，故长。（马叙伦云：此四句当在二十四章"自矜者不长"下。柱按：马说非也。如马说文义复赘，此文仍当在此，承"抱一"而言，即"曲则全"等之理也。唯此下"夫唯不争，故天下莫能与之争"，当在六十八章耳。）古之所谓曲则全者，岂虚言哉？诚全而归之。（以上王弼本题云：二十二章。河上公本以此为益谦章。）

二十三章

希言自然。

飘风不终朝，（各本与"希言自然"连为一章。"飘"上有"故"字。审校文义，终难联贯，当分章为是。罗振玉云：景龙、广明、景福、英伦诸本均无"故"字。）骤雨不终日，孰为此者？天地。天地尚不能久，而况于人乎？

故（"故"与"夫"通。）从事于道者，同于道；（各本重"道者"二字。俞樾云：《淮南子·道应篇》引：老子曰："从事于道者同于道"，可见古本不叠"道者"二字。）德者，同于德；失者，同于失。（傅奕本此三句作"从事于道者，道者同于道；从事于德者，德者同于德；从事于失者，失者同于失"。）

同于道者，道亦得之；同于德者，德亦得之；同于失者，失亦得之。（王弼本三"亦"字下均有"乐"字。傅奕本此数句均无"同"字"乐"字。罗振玉云：御注、英伦二本无"乐"字。柱按：王注云"言随其所行，故同而应之"，不释"乐"字，知王本亦无

"乐"字也。此下各本有"信不足焉，有不信焉"八字。马叙伦云：此二句疑十七章错简在此。以上王弼本题云：二十三章。河上公本以是为虚无章。）

二十四章

企者不立，（毕沅云：河上公本"企"作"跂"。罗振玉云：景龙本"立"作"久"。广明本此上有"喘者不久"句。马叙伦云："企"，《说文》重文作"跂"。）跨者不行，（罗振玉云：景福本此二句倒置。）自见者不明，自是者不彰，自伐者无功，自矜者不长。其于道，（"于"各本作"在"，"道"下有"也"字。罗振玉云：御注、英伦二本"其在"作"其于"，景龙本无"也"字。）曰余食赘行。物或恶之，故有道者不处。（以上王弼本题曰：二十四章。河上公本以此为苦恩章。）

二十五章

有物混成，先天地生，宋兮寞兮，（"宋"各本作"寂"。傅奕作"宋"。"寞"，钟会作"飂"。）独立而不改，周行而不殆，可以为天下母。吾不知其名，强字之曰道，（各本"字"上无"强"字。柱按：韩非子《喻老》释第一章有"强字之曰道"之语，疑本《老子》此章之文。傅奕本正有"强"字。）强为之名曰大。大曰逝，逝曰远，远曰反。故道大，天大，地大，人亦大。（各本作"王亦大"，兹据《说文》改作"人"。傅奕本与《说文》

同。)域中有四大，而人居其一焉。(各本"人"作"王"，兹据下文改。傅奕本作"而王处其一尊"，谬甚。)人法地，地法天，天法道，道法自然。(李约读"人法地地"为句，"法天天"为句，"法道道"为句，谬甚。以上王弼本题云：二十五章。河上公本以此为象元章。)

二十六章

重为轻根，静为躁君，是以圣人终日行不离辎重。(罗振玉云："圣人"，景龙、御注、英伦三本均作"君子")虽有荣观，(马叙伦云："荣观"是"营卫"之借。)宴处超然。(马叙伦云："超"借为"怊"，《说文》无"怊"，"惆"即"怊"也。《说文》：惆，失意也。)如之何万乘之主，而以身轻天下？(傅奕本如此。河上公本、王弼本作"奈何"。罗振玉云：景龙本作"如何"。)轻则失根，("根"，王弼本、傅奕本作"本"，宋河上本作"臣"。罗振玉云：景龙、御注、英伦、广明、景福诸本均作"臣"。俞樾云：《永乐大典》作"根"。)躁则失君。(以上王弼本题云：二十六章。河上公本以此为重德章。)

二十七章

善行无辙迹，(王本如此。罗振玉云：景福本"行"下有"者"字。下"善言""善数""善闭""善结"下并同。广明本同。柱按：傅奕本同有"者"字。)善言无瑕谪，善数不用筹策，善闭无关楗而不可开，善结无绳约而不可解。

人之不善，何弃之有？（此六十二章之文移至此。）是以圣人常善救人，故无弃人；常善救物，故无弃物；（晁说之云：傅奕曰："是以圣人"至"弃物"，古无此，独河上有之。马叙伦云：《淮南·道应训》明引老子曰："人无弃人，物无弃物，是谓袭明"。则不得谓经无此文也。）是谓袭明。故善人者，不善人之师；不善人者，善人之资。不贵其师，不爱其资，虽智大迷，是谓要妙。（以上王弼本题云：二十七章。河上公本以此为巧用章。）

二十八章

知其雄，守其雌，为天下奚；（"奚"，王弼、傅奕本作"谿"。罗振玉云：《释文》作"溪"，景福本亦作"溪"，景龙本作"蹊"，敦煌本作"奚"，下并同。）为天下奚，常德不离，（罗振玉云：景龙本"德"作"得"，下二"德"字同。）复归于婴儿。知其白，守其黑，为天下式；为天下式，常德不忒，复归于无极。知其荣，守其辱，为天下谷；为天下谷，常德乃足，复归于朴。朴散则为器，圣人用之，则为官长。故大制无割。（"无"，王本作"不"，傅奕本作"无"。罗振玉云：敦煌本"制"作"제"。以上王弼本题云：二十八章。河上公本以此为反朴章。）

二十九章

将欲取天下而为之，吾见其不得已。天下神器，不可为也，不可执也。（各本无"不可执也"句。刘师培云：《文选》干宝《晋纪总论》注引《文子》：老子曰"天下大器也，不可执也，不可为也"。）为者败之，执者失之。是以圣人无为，故无败；无执，故无失。（此二句六十四章之文，据马叙伦说移此。）

夫物（"夫"王本作"故"，傅奕本作"凡"。罗振玉云：景龙本、敦煌本均作"夫"。）或行或随，或噤或吹，（"噤"王本作"歔"，今从傅奕本。）或强或羸，或载或隳。（"载"王本作"挫"，傅奕本作"培"。罗振玉云：河上、御注、景福三本作"载"。敦煌二本作"接"。）是以圣人去甚，去奢，去泰。（以上王弼本题云：二十九章。河上公本以此为无为章。）

三十章

以道佐人主者，不以兵强天下，（此下各本有"其事好还，师之所处，荆棘生焉。大军之后，必有凶年"二十字，乃下章错简。今移下。）善有果而已。（傅奕本作"故善者果而已矣"。罗振玉云：景龙、御注、敦煌、景福诸本，均作"故善者果而已"。广明本作"善者果而已矣"。）不敢以取强，（罗振玉云：景龙本、敦煌本均无"敢"字。）果而勿矜，果而勿伐，果而勿骄，果而不得已，是果而勿强。（各本无"是"字。傅奕本有。俞樾云：上文皆言其果，不言其强。故总之曰是果而勿强。正与上文不以取强相应。）物壮则老，谓之非道。（各本作"是谓不道"。罗振玉云：景龙、敦煌二本均作"谓之非道"。）非道早已。（"非"各本作"不"。罗振玉云：景龙、敦煌二本均作"非"。以上王弼本题云三十章。河上本以此为俭武章。）

三十一章

夫佳兵者，（"佳"，各本作"佳"。据王念孙校改。王云："佳"，古"唯"字。傅奕本作"美"，谬甚。）不祥之器，（以下各本有"物或恶之，故有道者不处"十字，乃二十四章错简。今删。）非君子之器。（各本此句上有"君子居则贵左，用兵则贵右。兵者，不祥之器"十七字。柱按："兵者，不祥之器"，乃上句衍文，余当移下。）其事好还。师之所处，荆棘生焉；大军之后，必有凶年。（各本此二十字错在第三十章，今移此。即不祥之器之证。）君子居则贵左，用兵则贵右。（即非君子之器之证。）不得已而用之，恬澹为上。胜而不美，若美之者，（"若"各本作"而"。罗振玉云：景龙本作"若美之"，敦煌本作"若美必乐之"。）是乐杀人。夫乐杀人者，则不可以得志于天下矣。（此下各本有"吉事尚左，凶事尚右。偏将军居左，上将军居右，言以丧礼处之。杀人之众，以哀悲泣之；战胜，以丧礼处之"四十字，言极浅陋，决非老子之文，疑皆上文"君子居则贵左，用兵则贵右"之注，误入正文，而错置于此者，今删。以上王弼本题云：三十一章。河上本以此为偃武章。）

三十二章

道常无名，（此下各本有"朴，虽小，天下莫能臣也。侯王若能守之，万物将自宾。天地相合，以降甘露，民莫之令而自均"三十五字，今移后。）始制有名。名亦即有，夫亦将知止。知止不殆。（各本"不殆"上有"可以"二字。罗振玉云：景龙、敦煌二本均无此二字。此下各本有"譬道之在天下，犹川谷之于江海"十三字，今移下。以上王弼本题云：三十二章。河上本以此为圣德章。）

三十三章

知人者智，自知者明。胜人者有力，自胜者强。知足者富，强行者有志。不失其所者久，死而不亡者寿。（傅奕本各句末均有"也"字。谬甚。以上王弼本题云：三十三章。河上本以此为辨德章。）

三十四章

大道汜兮，其可左右，万物恃之以生而不辞，（"以"，王本、河上本并作"而"，傅奕本作"以"。罗振玉云：景龙、御注、敦煌、英伦诸本"而"均作"以"。）功成而不有，（傅奕本作"功成而不居"。毕沅云：河上公作"功成而不名有"，今王弼本同河上。《永乐大典》弼本同奕。罗振玉云：广明本"成"下有"而"字。柱按：据上下文例，"而"字当有。"名"字因下文而衍。）衣养万物而不为主，（"衣养"，傅奕本作"衣被"。毕沅云："衣被"河上公作"爱养"，王弼作"衣养"。案"衣""爱"声相同。罗振玉云：河上、景龙、御注、英伦、广明、景福诸本，作"爱养"，敦煌本作"衣被"。柱按：作

"爱养""衣被"者，皆因不识"衣养"之义，故或改"衣"就"养"，或改"养"就"衣"耳。)常无，故可名于小；("故"各本作"欲"，审校文义，当是"故"字之讹。古书"故""欲"二字易误。如《墨子·非攻》中篇云："欲得而恶失，故安而恶危"，下句"故"字陈仁锡本作"欲"，是其证。)万物归焉而不为主，可名于大。(王弼本"于"作"为"。罗振玉云：景龙、御注、敦煌三本均作"于"。)以其终不自大，(傅奕本如此。王弼本"自"上有"为"字。罗振玉云：河上、景龙、敦煌、御注、景福、英伦诸本均作"是以圣人终不为大"。)故能成其大。(以上王弼本题云：三十四章。河上本以此为任成章。)

三十五章

执大象，天下往；往而不害，安平太。

乐与饵，过客止。道之出言，淡乎其无味。("言"，王本作"口"，"兮"作"乎"。陶鸿庆：傅奕本"出口"作"出言"，"乎"作"兮"。据王注云："道之出言，淡然无味"，而二十三章，"希言自然"注亦云："下章言'道之出言，淡兮其无味也'，似所见本与传本同也。罗振玉云：景龙、敦煌本"口"作"言"，景福"乎"作"兮"。)视之不足见，听之不足闻，用之不可既。(以上王弼本题云：三十五章。河上本以此为仁德章。)

三十六章

将欲歙之(傅奕本"歙"作"翕"。毕沅云:河上公作"噏",王弼作"歛",简文作"歙",韩非子与奕同。陆德明曰:本又作"给",案古无"噏""歛"二字。《说文解字》云:歙,缩鼻也。"歙"有缩义,故与"张"为对。"翕"古文字少通用。罗振玉云:景龙本作翕。),必固张之;将欲弱之,必固强之;将欲废之,必固举之;("举"各本作"兴",疑本为"举",脱坏为"与",遂误改为"兴"。"举"与下"予"为韵。)将欲取之,(范应元云:"取"一作"夺",非古也。马叙伦云:韩非《喻老篇》引并作"取"。)必固予之。(马叙伦云:"固"读为"姑且"之"姑"。韩非《说林上》:《周书》曰:欲将取之,必姑予之。)是谓微明。柔胜刚,弱胜强。(王弼本、河上本作"柔弱胜刚强"。傅奕本作"柔之胜刚,弱之胜强"。罗振玉云:景龙作"柔胜刚,弱胜强"。)

鱼不可脱于渊;国之利器,不可以示人。("国",傅奕本作"邦"。毕沅云:《韩非子》亦作"邦"。河上公、王弼并作"国"。《庄子》作"国"。《说苑》作"国之利器,不可以借人"。以上王弼本题云:三十六章。河上本以此为微明章。)

三十七章

道常无为,而无不为。侯王若能守之,万物将自化。化而欲作,吾将镇之无名之朴。夫亦将无欲。(此句上各本有"无名之朴"四字。罗振玉云:据《释文》,王本似无此句。)不欲以静，天下将自正。（"正"各本作"定"。傅奕本作"正"。罗振玉云：景龙、御注、景福三本"定"均作"正"。以上王弼本题云：三十七章。河上本以此为为政章。）

朴虽小，天下莫能臣也。（王弼本如此。傅奕本无"也"字。罗振玉云：景龙、御注、敦煌、英伦诸本，"莫能"作"不敢"，景福作"莫敢"。又均无"也"字。）侯王若能守，（各本"守"下有"之"字，傅奕本无。罗振玉云：景龙、御注、敦煌、英伦诸本均无"之"字。）万物将自宾。天地相合，以降甘露，民莫之令而自均。（此原在三十二章。今移此，别为一章，承上章无名之朴而言。）

三十八章

上德不德，是以有德。下德不失德，是以无德。上德无为而无不为，（"无不为"各本作"无以为"。兹据《韩非子·解老》篇改作"无不为"。）下德为之而有不为。（"不"各本作"以"。陶鸿庆云："以"当作"不"，与上句反正互明。注云：下德求而得之，为而成之。求而得之，必有失焉；为而成之，必有败焉。善名生则有不善应焉。此正释经文"有不为"之义。）上仁为之而无以为，下义为之而有以为。上礼为之而莫之应，则攘臂而仍之。（"仍"各本作"扔"，傅奕本作"仍"。刘师培云：据韩非则"扔"当作"仍"。仍，因也。罗振玉云：景龙、御注、景福三本"扔"作"仍"。）故失道而后德，失德而后仁，失仁而后义，失义而后礼。(毕沅云：韩非《解老》四"而后"下并有失字。柱按：《庄子》引无。)夫礼者，忠信之薄也，而乱之首乎？(各本"薄"下无"也"字，"乎"作"也"。今从韩非。)前识者，道之华也，而愚之始乎？("也"字各本无。据韩非增。"乎"字，韩非亦作"也"，据韩非上句改。)是以大丈夫处其厚，不处其薄；处其实，不处其华。故去彼取此。(以上王弼本题云：三十八章。河上本以此为论德章。)

三十九章

昔之得一者，天得一以清，地得一以宁，神得一以灵，谷得一以盈，万物得一以生，侯王得一以为天下贞。(罗振玉云：景龙本、景福本"贞"均作"正"。)天无以清，将恐裂；(此句上王本、河上本有"其致之"三字。傅奕本有"其致之一也"五字。马叙伦云：是古注文。)地无以宁，将恐发；(刘师培云："发"读为"废"。《说文》曰：废，屋顿也。)神无以灵，将恐歇；谷无以盈，将恐竭；万物无以生，将恐灭；侯王无以贞，将恐蹶。(王弼本作"无以贵高将恐蹶"，傅奕本作"无以为贞而贵高将恐蹶"。刘师培云：当作"无以贞将恐蹶"。此承上"侯王得一以为天下贞"而言，"贞"误为"贵"。后人因下文增"高"字。)故贵必以贱为号，高必以下为基。(各本"以"上无"必"字，河上本有。"号"各本作"本"。刘师培云：《淮南·原道训》作"贵者必以贱为号"，是古本如此。"号"指孤、寡、不谷言。姚鼐云："故贵以贱为本","故"字衍。"贵以贱为本",至"非乎"二十六字,应在四十二章"人之所恶"之上。柱按:审文,四十二章之文当移此。)**是以侯王自谓孤、寡、不谷。**(罗振玉云:"谓",景福本作"曰")**此其以贱为本与?非乎?**(王弼本作"此非以贱为本邪?非乎",傅奕本作"是其以贱为本也,非欤"。罗振玉云:景龙、御注、景福三本"此非"作"此其",敦煌本作"是其","邪"敦煌本作"与"。)**人之所恶,唯孤、寡、不谷,而侯王以为称。**(此十五字本,四十二章之文,据文义移此。"侯王",王本、河上本,作"王公",傅奕本作"王侯",今据上文作"侯王"。)**故致誉无誉,**(各本作"致数舆无舆"。罗振玉云:《释文》出"数誉"二字,知王本作"誉"。柱按:"数"乃"致"之误衍。)**故物凡损之而益,或益之而损。**(此十二字亦四十二章文。)**不欲禄禄如玉,落落如石。**("禄禄",王本、河上本作"琭琭",傅奕本作"碌碌"。"落落",王本作"珞珞"。毕沅石:古无"琭""碌""珞"三字。罗振玉云:敦煌本"琭琭"作"禄禄"。景龙、御注、敦煌三本"硌硌"均作"落落"。以上王弼本题云:三十九章。河上本以此为法本章。)

四十章

反者道之动;弱者道之用。

天下万物生于有,有生于无。(以上王弼本题云四十章。河上本以此为去用章。)

四十一章

上士闻道，勤而行；（各本"行"下有"之"字。罗振玉云：御注本无"之"字。）中士闻道，若存若亡；下士闻道，大笑之，不笑不足以为道。故建言有之曰：（王本、河上本无"曰"字，傅奕本有。罗振玉云：敦煌本作"是以建言有之曰"。）明道若昧，进道若退，夷道若纇，（罗振玉云：《释文》、河上本作"类"，景龙、敦煌、景福三本亦作"类"。）上德若谷，大白若辱，广德若不足，建德若偷，（罗振玉云：敦煌本无此句。广明本"偷"作"媮"。）质直若渝。大方无隅，大器晚成，大音希声，大象无形。道隐无形，夫唯道，善贷且成。（罗振玉云：敦煌本"贷"作"始"。以上王弼本题云：四十一章。河上本以此为同异章。）

四十二章

道生一，一生二，二生三，三生万物。万物负阴而袭阳，（"袭"各本作"抱"。傅奕本如此。）盅气以为和。（"盅"各本作"冲"，范应元作"盅"。此下各本有"人之所恶，唯孤、寡、不谷，而王公以为称。故物，或损之而益，或益之而损"二十七字，今移在上。）

人之所教，我亦教之。强梁者不得其死，吾将以为教父。（傅奕本"教"作"学"。罗振玉云：敦煌本作"学"。以上王弼本题云：四十二章。河上本以此为道化章。）

四十三章

无有入有间。（此句上各本有"天下之至柔，驰骋天下之至坚"十二字。柱按：此十二字乃七十八章错简。）吾是以知无为之有益也。（各本无"也"字，傅奕本有。毕沅云：《淮南子》有。）不言之教，无为之益，天下希及之。（以上王弼本题云：四十三章。河上本以此为遍用章。）

四十四章

名与身，孰亲？身与货，孰多？得与亡，孰病？甚爱，必大费。（各本"甚"字上有"是故"二字。毕沅云：河上公无"是故"二字。罗振玉云：景福本无"是故"二字。）多藏，必厚亡。故知足，不辱；（各本无"故"字。罗振玉云：此句之首，景龙本、敦煌本皆有"故"字。）知止，不殆。可以长久。（以上王弼本题云：四十四章。河上本以此为立戒章。）

四十五章

大成若缺，其用不敝。（王本、河上本"敝"作"弊"。傅奕本作"敝"）大盈若盅，（各本"盅"作"冲"）其用不穷。大直若诎，（王本、河上本作"屈"，傅奕作"诎"。孙诒让云：《韩诗外传》九引亦作"诎"。《外传》引大巧句在大辩句下，下有"其用不屈"四字。）大巧若拙，大辩若讷。（马叙伦云：大巧句下，及大辩句下，应各有"其用不□"一句，而今亡矣。）

躁胜寒，静胜热，清静为天下正。（以上王弼本题云：四十五章。河上本以此为洪德章。）

四十六章

天下有道，却走马以粪车；（傅奕本"粪"作"播"。彭耜曰：朱文公本"粪"下有"车"字。毕沅云：张衡《东京赋》引亦有"车"字，"粪""播"古字通用。）天下无道，戎马生于郊。

罪莫大于可欲，（王本无此句，傅奕本、宋河上本均有。罗振玉云：景龙、御注、敦煌、景福四本均有"罪莫大于可欲"句。）祸莫大于不知足，咎莫大于欲得，（"大"，傅奕本作"憯"。罗振玉云：敦煌本作"甚"。）故知足之足，常足矣。（以上王弼本题云：四十六章。河上本以此为俭欲章。）

四十七章

不出户，知天下；不窥牖，见天道。其出弥远，其知弥尟。（"弥"各本作"彌"，"尟"各本作"少"，傅奕本如此。）是以圣人不行而知，不见而名，不为而成。（以上王弼本题云：四十七章。河上本以此为鉴远章。）

四十八章

为学日益，为道日损。损之又损，以至于无为，而无不为。（以上各本有"取天下常以无事，及其有事，不足以取天下"

十七字,当是五十七章错简,今移下。以上王弼本题云:四十八章。河上本以此为忘知章)

四十九章

圣人无心,("心"上各本均有"常"字。罗振玉云:景龙本、敦煌本均无"常"字。)以百姓心为心。善者,吾善之;不善者吾亦善之,得善。信者,吾信之;不信者吾亦信之,得信。(王本、河上本"得"作"德",傅奕作"得","得善""得信"下并有"矣"字。罗振玉云:景龙本、敦煌本均作"得"。)圣人之在天下歙歙焉,为天下混混焉。(傅奕本如此。王弼本作"圣人在天下歙歙,为天下浑其心"。)百姓皆注其耳目,(傅奕本如此。毕沅云:聚珍版、王弼本无此句,据陆德明《释文》应有。)圣人皆咳之。("咳"各本作"孩",傅奕如此。以上王弼本题云:四十九章。河上本以此为任德章。)

五十章

出生入死。生之徒十有三,死之徒十有三。民之生生而动动皆之死地,亦十有三。(傅奕本如此。王弼本作"人之生动之死地,亦十有三"。刘师培云:傅奕本与韩非同,此为古本。)夫何故?以其生生之厚。夫惟能无以生为者,是贤于贵生也。(各本无此十六字。马叙伦云:七十五章"夫惟能无以生者,是贤于贵生者也"二句,当在此下。《淮南·精神训》"以其生生之厚,夫惟能无以生为者，则所以修得生也"，《文子·九守篇》"以其生生之厚，夫惟无以生为者"，皆以"夫惟能无以生为者"连此句，义亦相属。马说是也。）

盖闻善摄生者，陆行不遇兕虎，入军不被甲兵。（罗振玉云：敦煌本"甲"作"鉀"，乃"甲"之别体。）兕无所投其角，虎无所措其爪，兵无所容其刃。夫何故？以其无死地。（以上王弼本题云：五十章。河上本以此为贵生章。）

五十一章

道生之，德畜之，物形之，势成之。是以万物莫不尊道而贵德。道之尊，德之贵，夫莫之命而常自然。故道生之，（各本此下有"德畜之"三字。罗振玉云：敦煌本脱此三字。成疏云：重迭前文，以生后句，而举道不言德者，明德不异道，而又略故也。）长之育之，亭之毒之，盖之覆之；（王本、河上本"盖"作"养"。傅奕本如此。）生而不有，为而不恃，长而不宰。（此下各本有"是谓玄德"四字。马叙伦云：乃五十六章文。以上王弼本题云：五十一章。河上本以此为养德章。）

五十二章

天下有始，以为天下母。既得其母，以知其子；既知其子，复守其母；没身不殆。

塞其兑，（罗振玉云：《释文》、河上本作"锐"，景福本亦作

"锐"，下同。)闭其门，终身不勤；开其兑，济其事，终身不救。

见小曰明，守柔曰强。用其光，复归其明，无遗身殃，是谓习常。("谓"各本作"为"，傅奕本作"谓"。罗振玉云以全书例之，当作"谓"。据景龙、御注、敦煌诸本改。以上王弼本题云五十二章。河上本以此为归元章。)

五十三章

使我介然有知，行于大道，唯施是畏。大道甚夷，而民好径。(罗振玉云：御注本作"民其好径"。)朝甚除，田甚芜，仓甚虚；服文采，("采"王弼本作"彩"，傅奕本作"采"。罗振玉云：御注本作"彩"，广明本作"丝"。)带利剑，厌饮食，资货有余，("资货"各本作"财货"。毕沅云：《韩非子》作"资货"。罗振玉云：敦煌本"财"作"资"。)是谓盗竽。(各本"竽"作"夸"。罗振玉云：敦煌本作"夸"。柱按：《韩非子·解老篇》作"盗竽"。释云：大奸作则小盗随，大奸唱则小盗和。竽也者，五声之长也。故竽先则钟瑟皆随，竽唱则诸乐皆和。今大奸作，则俗之民唱；俗之民唱，则小盗必和；故服文采，带利剑，厌饮食，而资货有余者，是之谓盗竽矣。韩非释"盗竽"义甚当，此是古本。)盗竽(王本无此"二字"，各本作"盗夸"。)非道施哉？(柱按："施"各本作"也"，即施之省，或施之坏体，即"唯施是畏"之"施"也。以上王弼本题云：五十三章。河上本以此为益证章。)

五十四章

善建不拔，善袤不脱；（各本"不"上有"者"字；"袤"各本作"抱"，傅奕本作"袤"。毕云：韩非子无二"者"字。"袤"俗作"抱"，非。）子孙以共祭祀，世世不辍。（宋河上本作"子孙祭祀不辍"。王弼本、傅奕本与河上同，惟王本"不"上多"以"字。马叙伦云：当从韩非作"子孙以其祭祀，世世不辍"。惟"其"字当是"共"字之讹。"共"当为"龏"。《说文》：龏，给也。）

修之于身，其德乃真；（罗振玉云：敦煌本"乃"作"能"，下四句"乃"字同。）修之于家，其德乃余；修之于乡，其德乃长；修之于邦，共德乃丰；（各本"邦"作"国"，傅奕本作"邦"。）修之于天下，其德乃普。（傅奕本五"修之"下均无"于"字。毕沅云：河上公、王弼五"修之"下，并有"于"字，《韩非》《淮南》同。）故以身观身，以家观家，以乡观乡，以邦观邦，以天下观天下。吾何以知天下之然哉？以此。（各本"然"上无"之"字，傅奕本有。罗振玉云：景福本"下"下有"之"字。以上王弼本题云：五十四章。河上本以此为修观章。）

五十五章

含德之厚，比于赤子。毒虫不螫，（傅奕本作"蜂虿不螫"。毕沅云：河上公作"毒虫不螫"。王弼作"蜂虿虺蛇不螫"。罗振玉云：景龙、御注、敦煌、景福诸本均作"毒虫不螫"。）猛兽不据，攫鸟不搏。骨弱筋柔而握固，未知牝牡之合而朘作，（"朘"

傅奕本如此。毕沅云：河上公作"峻"，王弼作"全"。徐铉本《说文解字》"脧"字新附，而陆德明音义引之，有子和切之言，似唐本有而宋本无之。罗振玉云：景福本作"峻"。）精之至也；终日号而不嗄，（"嗄"，王本、河上本作"嗄"。毕沅云：王篇引作"终日号而不嗄"。《说文解字》有"嗄"字，云；语未定貌。扬雄《太玄经》"柔儿于号，三日不嗄"。）和之至也。知和曰常，知常曰明。益生曰祥，（"祥"各本作"祥"。柱按：益生不得为祥。《庄子·德充符》篇云："常因自然而不益生"。是益生为逆自然，安得为祥乎？《墨子·非乐》上篇"降之百祥"。毕沅云：祥、祥字异文。非是。"祥"当为"殃"之异文。老子此"祥"字，疑本"祥"之误，今正。易顺鼎云："祥"即不祥，书序云："有祥桑共生于朝"，与此"祥"字义同。）心使气则强。（傅奕本如此。王弼本作"曰强"。马叙伦云："强"借为"僵"。《庄子·则阳篇》"推而强之"，王篇引作"僵"。此下各本有"物壮则老，谓之不道，不道早已"十二字。马叙伦云：此文已见三十章，乃因错简而复出者也。以上王弼本题云：五十五章。河上本以此为元符章。）

五十六章

挫其锐，（此上各本有"知者不言，言者不知。塞其兑，闭其门"十四字。马叙伦云："知者不言"二句，盖八十一章错简。"塞其兑"二句，乃五十一章文。按马说是也，今正。）解其纷；和其光，同其尘；是谓玄同。故不可得而亲，（罗振玉云：经副本无"而"字，下五句同。）亦不可得而疏；（傅奕本如此。毕沅云：

王弼无"亦"字，下二句同。）不可得而利，亦不可得而害；不可得而贵，亦不可得而贱；故为天下贵。（以上王弼本题云：五十六章。河上本以此为玄德章。）

五十七章

以正治国，以奇用兵，以无事取天下。取天下常以无事，及其有事，不足以取天下。吾何以知其然哉？以此。（高延第云：以此指下八句。）天下多忌讳，而民弥贫；（"弥"各本作"彌"，傅奕本如此。）民多利器，国家滋昏；人多伎巧，奇物滋起；法令滋彰，盗贼多有。故圣人云：我无为，民自化；我好静，民自正；我无事，民自富；我无欲，民自朴。（四"民"字上，各本皆有"而"字。罗振玉云：景龙本无"而"字。柱按：无"而"字是也。为、化韵，静、正韵，事、富韵，欲、朴韵。以上王弼本题云：五十七章。河上本以此为淳风章。）

五十八章

其政闷闷，其民淳淳；其政察察，其民缺缺。

祸兮福所倚，福兮祸所伏。孰知其极？（此下各本有"其无正"三字，傅奕本作"其无正衺"。柱按：此衍文也。王注云："言谁知善治之极乎？唯无可正举，无可形名，闷闷然，而天下大化，是其极也。"止释"极"义，不释"无正"之义。其云"唯无可正举"者，即首二句注。所谓"言善治政者，无形、无名、无事、无正可举"之

"无正"。其云"无可形名"亦即前注之"无形",非释此文之正字也。"其无正"三字,盖涉上句而衍"其"字,涉注文而衍"无正"二字耳。"袤"字亦后人妄加。）正复为奇,善复为妖。人之迷也,其日故以久矣。（王弼本作"人之迷,其日固久",傅亦本作"人之迷也,其日固久矣",《韩非子·解老》作"人之迷也,其日故以久矣"。"以""已"同字。）是以圣人方而不割,廉而不刿,直而不肆,光而不耀。（马叙伦云：此四句当移至"其民缺缺"下。柱按：《韩非·解老篇》,先释"祸福"两句,次释"人之迷"句,又次释"方而不割"四句,次第与今本《老子》同,知古本亦如此也。马说谬。此四句与上文义自接,盖以福有祸伏,善复为妖,故方而不割云云也。以上王弼本题云：五十八章。河上本以此为篇顺化章。）

五十九章

治人事天,莫若啬。夫唯啬,是以早服。（傅奕本如此,各本"以"作"谓",《韩非子》作"夫谓啬,是以蚤服"。罗振玉云：敦煌本"谓"作"以"。）早服是谓重积德,（《韩非子》如此,各本作"谓之"。）重积德则无不克。无不克则莫知其极,莫知其极则可以有国。（《韩非子》如此,各本无"则"字。）有国之母,可以长久。是谓深其根,固其柢,长生久视之道。（各本无二"其"字,据《韩非子》增。罗振玉云："柢",《释文》亦作"蒂",敦煌、御注、景福三本作"蒂"。以上王弼题云：五十九章。河上本以此为守道章。）

六十章

治大国者若享小鲜。（各本无"者"字，"享"作"烹"。今据《韩非子》增"者"字。王先慎云：《治要》有"者"字。罗振玉云：敦煌庚本作"享"。）

以道位天下者，（"位"各本作"莅"，无"者"字。傅奕本作"涖"，今据韩非增"者"字。毕沅云：古"涖"字作"埭"，亦通用"位"，俗作"涖"及"莅"，并非也。王先慎云：《治要》引亦有"者"字，盖唐人所见《老子》本有"者"字。罗振玉云：敦煌庚本、景福本均有。）其鬼不魖。（"魖"各本作"神"。柱按：《说文》鬼部有"魖"字，云：神也，从鬼，申声。段玉裁注云：老子"其鬼不神"，《封禅书》曰："秦中最小鬼之神者，《中山经·青要之山》魖武罗司之。"郭云："魖"即"神"字。许意非一字也。郑知同云：谓鬼之神者，是从神义别造神鬼专字。然则《老子》此文本字盖当作"魖"也。今正，下同。）非其鬼不魖也，其魖不伤人也。（各本无两"也"字，今据韩非增。）魖不伤人，（各本句首有"非其"二字。陶鸿庆云：盖涉上文而误衍。柱按：陶说是也。下文"两不相伤，则德交归焉"，若此云，"非其魖不伤人"，岂能说两不相伤邪？）圣人亦不伤民。（"民"各本作"人"，据韩非作"民"。）两不相伤，则德交归焉。（各本两上有"夫"字。"则"字作"故"。今据韩非如此。以上王弼本题云：六十章。河上本以此为居位章。）

六十一章

大国者，天下之下流，(各本无"天下之"三字，傅奕本如此。)天下之郊，(各本"郊"作"交"，下同。罗振玉云：敦煌本作"郊"。)天下之牝。牝常以静胜牡，以其静为下。(各本无"其"字，傅奕本作"以其靖，故为下也"。罗振玉云：敦煌庚本有"其"字。)故大国以下小国，则取小国；小国以下大国，则聚大国。("聚"各本均作"取"，下"而聚"同。罗振玉云：御注本、敦煌辛本均作"聚"。下"而取"同。)故或下以取，或下而聚。大国不过欲兼畜人，小国不过欲入事人。此两者各得其所欲，大者宜为下。("此"各本作"夫"，傅奕本无。罗振玉云：景龙本"夫"作"此"，景福本、敦煌庚本无"此两者"三字。以上王弼本题云：六十一章。河上本以此为谦德章。柱按：此章文义浅陋，不似老子之文，疑是战国时权谋家所增。)

六十二章

道者万物之奥，善人之宝，不善人之所保。(罗振玉云：景龙本、敦煌辛本"所"下有"不"字。柱按：此下各本有"美言可以市，尊行可以加人。人之不善，何弃之有"十九字。他章错简也。今移正。马叙伦说同。)故立天子，置三公，虽有拱璧以先驷马，不如坐进此道。古之所以贵此道者何？不曰以求得之，(各本无"之"字。罗振玉云：敦煌庚本"得"下有"之"字。)有罪以免邪？(柱按自"故立天子"至"以免邪"文义浅陋，不类老子之文，疑妄人加入。）故为天下贵。

美言可以市尊，美行可以加人。（各本"行"上无"美"字。俞樾云：《淮南·道应篇》《人间篇》，引此文并作"美言可以市尊，美行可以加人"。是今本脱下"美"字。以上王弼本题云：六十二章。河上本以此为道章。）

六十三章

为无为，事无事，味无味。（各本此下有"大小多少，报怨以德"四字。马叙伦云："报怨以德"一句当在七十九章"和大怨"上。）是以圣人欲不欲，不贵难得之货；学不学，复众人之所过。以顺万物之自然，而不敢为也。（各本无"也"字，傅奕本有。此三十四字，各本在六十四章，今移此。）

为多于少，（各本无此句。"报怨以德"上有"大小多少"四字，不成句，疑"大小"二字即下文"为大于细"句之讹脱。准此例之，则多少二字，亦疑为"为多于少"之讹脱。二十二章云："少则得，多则惑"，是"为多于少"之证也。姑录于此，以待质正。）为大于细，（"于"下各本有"其"字。罗振玉云：景龙本、敦煌辛本均无"其"字，下句同。）图难于易。（各本此句在"为大于细"句上。）天下之难事，必作于易；天下之大事，必作于细。（各本此二句无"之"字，《韩非子》有，傅奕本亦有。）合裹之木，生于毫末；（各本"裹"作"抱"。兹从傅奕本。）九层之台，起于累土；千里之行，（罗振玉云：敦煌辛本作"而百仞之高"。）始于足下。(此二十四字,各本错在六十四章,审校文义,与此文上下句相接,故移此,为"天下大事,必作于细"之证。)是以圣人终不为大,故能成其大。夫轻诺必寡信,多易必多难,(此即"天下难事必作于易"之证)是以圣人由难之。("由"各本作"犹",罗振玉云:御注本作"由"。以上王弼本题云:六十三章。河上本以此为恩始章。)

六十四章

其安易持,其未兆易谋,其脆易泮,其微易散。为之于未有,治之于未乱,(此下各本有"合抱之木,生于豪末;九层之台,起于累土;千里之行,始于足下。为者败之,执者失之。是以圣人无为,故无败;无执,故无失"四十六字,错简也。今移正。)民之从事。常于几成而败之。惧终如始,则无败事。(此下各本有"是以圣人欲不欲,不贵难得之货;学不学,复众人之所过。以顺万物之自然,而不敢为也"三十四字,盖六十三章错简。以上王弼本题云:六十四章。河上本以此为守微章。)

六十五章

古之善为道者,非以明民,将以愚之。民之难治,以其多智。(各本作"智多"。罗振玉云:景龙本、敦煌辛本均作"多智"。)故以智治国,国之贼;不以智治国,国之福。知此两者,亦楷式。("楷"各本作"稽",河上本作"楷"。罗振玉云:

景龙、御注、景福、敦煌辛壬诸本亦作"楷式"。下同。)常知楷式，是谓玄德。玄德深矣，远矣，与物反矣，乃至大顺。(各本"乃"上有"然后"二字。傅奕本"乃"下有"复"字，"至"下有"于"字。罗振玉云：景福本、敦煌庚壬二本无"然后"二字。敦煌庚本"至"下有"于"字。以上王弼本题云：六十五章。河上本以此为淳德章。)

六十六章

譬道之在天下，犹川谷之于江海。(各本此句错在三十二章。)江海之所能为百谷王者，以其善下之，故能为百谷王。是以圣人(王弼本无"圣人"二字，傅奕本有。罗振玉云：景龙、御注、景福、敦煌庚壬诸本以下均有"圣人"二字。)欲上民，必以言下之；欲先民，必以身后之。是以处上而民不重，("是以"下各本有"圣人"二字。罗振玉云：敦煌辛本无"圣人"二字。)处前而民不害，是以天下乐推而不猒。("猒"各本作"厌"。罗振玉云：御注本作猒，即厌。)以其不争，故天下莫能与之争。(以上王弼本题云：六十六章。河上本以此为后己章。)

六十七章

天下皆谓我道大，(傅奕本无"道"字。罗振玉云：景龙、御注、景福、敦煌庚辛壬诸本均无"道"字。)似不肖。(罗振玉云：敦煌辛本"肖"作"笑"，下二"肖"字同。)夫唯大，故似不肖。

若肖，久矣其细也夫。（马叙伦以此与下分章，是也。）

我有三宝，持而保之：一曰慈，二曰俭，三曰不敢为天下先。（罗振玉云：敦煌辛本无"敢"字。）慈，故能勇；俭，故能广；不敢为天下先，故能为成事长。（"能"下各本无"为"字。"事"各本作"器"，今从《韩非子》。）今舍慈且勇，舍俭且广，舍后且先，死矣！夫慈以战则胜，（傅奕本"战"作"阵"。罗振玉云：敦煌庚辛二本作"阵"。）以守则固。天将救之，以慈卫之。（以上王弼本题云：六十七章。河上本以此为三宝章。）

六十八章

善为士者不武，善战者不怒，善胜敌者不与，善用人者为之下。是谓不争之德，是谓用人之力，是谓配天之极。（各本"天"下有"古"字。奚侗云："天"下有"古"字，义不可通。殆下章"用兵有言"句上有"古之"二字，"古之"错入于此，而又脱一"之"字。以上王弼本题云：六十八章。河上本以此为配天章。）

六十九章

古之用兵者有言：（各本"用兵"上无"古之"二字，说见前。）吾不敢为主，而为客；不敢进寸，而退尺。是谓行无行，（柱按：下"行"字当为"胻"之省借。）攘无臂，执无兵，扔无敌。（各本"执无兵"句在"扔无敌"下。陶方琦云："执无兵"句，应在"扔无敌"句上。弼注曰：犹行无行，攘无臂，执无兵，扔无敌也。）

祸莫大于轻敌，轻敌几丧吾宝。故抗兵相加，则哀者胜矣。（王本无"则"字，傅奕本有。罗振玉云：景龙本、敦煌辛本均作"则哀者胜"。以上王弼本题云：六十九章。河上本以此为元用章。）

七十章

言有宗，事有君。（此二句各本在"莫能行"下，今移上。）吾言甚易知，甚易行；天下莫能知，莫能行。夫唯有知，是以不我知。（"有"各本作"无"。陶方琦云：王弼注曰：故有知之不得知之也。疑王本"无知"作"有知"。马叙伦云：陶说是也。上"知"字当读为"智"。柱按：马读上"知"字为"智"，非也。《庄子·知北游篇》云：彼其真是也，以其不知也。此其似之也，以其忘之也。予与若，终不近也，以其知之也。此有知不知之证。）知我者希，则我贵矣。（罗振玉云：景福本"则"作"明"，敦煌、庚壬二本作"则我贵矣"。）是以圣人被褐怀玉。自知不自见，自爱不自贵，故去彼取此。（各本此三句在第七十二章"自知"上，有"是以圣人"四字。罗振玉云：敦煌辛本"是以"作"故"。柱按：皆衍文也。以上弼本题云：七十章。河上本以此为知难章。）

七十一章

知不知，上；不知知，病；夫唯病病，是以不病。圣人不病，以其病病，是以不病。（以上王弼本题云：七十一章。河上本以此为知病章。）

七十二章

民不畏威，则大畏至矣。（"大"下"畏"字，各本作"威"。王弼本无"矣"字。傅奕本有。罗振玉云：景龙本无"则"字，敦煌庚本作"大畏至矣"，壬本、景福本均作"大威至矣"。）

无狎其所居，无厌其所生。夫唯不狎，（吴澄云："不狎"旧作"不厌"。卢陵刘氏曰：上句"不厌"当作"不狎"。今从之。）是以不厌。（以上王弼本题云：七十二章。河上本以此为爱己章。）

七十三章

勇于敢则杀，勇于不敢则活。知此两者，或利或害。（各本"此"上无"知"字。罗振玉云：景龙、御注、景福三者均作"知此两者"，敦煌庚壬二本作"常知此两者"。）天之所恶，孰知其故？（此下各本有"是以圣人犹难之"七字。马叙伦云："是以"一句，乃六十三章错简。罗振玉云：景龙本、敦煌本均无此句。）天之道，不争而善胜，不言而善应，不召而自来，默然而善谋。（毕沅云："默"河上公作"墠"，王弼作"繟"。陆德明曰：梁武、王尚、钟会、孙登、张嗣本作"坦"。罗振玉云：敦煌庚本亦作"坦"，辛壬本作"不言"。)天网恢恢,疏而不失。(罗振玉云:景龙本"失"作"漏"。以上王弼本题云:七十三章。河上本以此为任为章。)

七十四章

民不畏死,奈何以死惧之?若使民常畏死,而为奇者吾得而杀之,孰敢?

常有司杀者杀,而代司杀者杀,(王本"而"作"夫",傅奕本如此。罗振玉云:景龙、御注、景福、敦煌庚辛诸本,均无下"杀"字。)是谓代大匠斲。夫代大匠斲者,希有不伤其手者矣。(以上王弼本题云:七十四章。河上本以此为制惑章。)

七十五章

民之饥,以其上食税之多,是以饥;民之难治,以其上之有为,是以难治;民之轻死,以其求生之厚,是以轻死。(此下各本有"夫唯无以生为者,是贤于贵生"十二字。马叙伦云:此二句乃五十章错简。以上王弼本题云:七十五章。河上本以此为贪损章。)

七十六章

人之生也柔弱,其死也坚强;(罗振玉云:敦煌辛本作"刚"。)万物草木之生也柔脆,其死也枯槁。故曰:(各本无"曰"字。罗振玉云:敦煌庚本作"故曰"。)坚强者,死之徒;

柔弱者，生之徒。是以兵强则不胜，木强则斯。("斯"各本作"兵"。俞樾云：《老子》原文当作"木强则折"。柱按：俞说是也。"折"，篆文作"斯"，古文或有作"厥"者，与"兵"字篆文作"疕"形近。)强大处下，柔弱处上。(以上王弼本题云：七十六章。河上本以此为戒强章。)

七十七章

天之道，其犹张弓？("弓"下各本有"与"字。罗振玉云：景龙本、敦煌辛本均无"与"字。)高者抑之，下者举之；有余者损之，不足者补之。天之道，损有余而补不足；人之道则不然，损不足以奉有余。孰能损有余以奉不足？唯有道者。(各本无"损"字，据傅奕本增。傅奕本此句作"孰能损有余而奉不足于天下者？其惟有道者乎"，不类《老子》文。)是以("以"下各本有"圣人为而不恃，功成而不居，其不欲见贤"十六字。马叙伦云："为而不恃"二句，当在五十一章。柱按"为而不恃"二句，当是第二章之复错。)圣人不积，既以为人己愈有，既以与人己愈多。天之道，利而不害；圣人之道，为而不争。(各本"圣人不积"以下三十三字错在八十一章。马叙伦云：八十一章"圣人不积"以下当在此"是以"下。以上王弼本题云：七十七章。河上本以此为天道章。)

七十八章

天下之至柔，驰骋天下之至坚。（各本此十三字错在第四十三章。）天下莫柔弱于水，而攻坚强者莫之能先，（"先"各本作"胜"，傅奕本如此。罗振玉云：景龙本、敦煌本"胜"均作"先"。）以其无以易之。弱之胜强，柔之胜刚，天下莫不知，（罗振玉云：景龙本、敦煌辛本"不"均作"能"。柱按：作"不"为是。）莫能行。是以圣人云：（罗振玉云：敦煌辛本无"云"字，御注本"云"作"言"，景龙本作"故圣人云"，景福本、敦煌庚本作"故圣人言云"。）受国之垢，是谓社稷主；受国不祥，是谓天下王。（"天"上"谓"字，各本作"为"。河上本作"谓"。）正言若反。（以上王弼本题云：七十八章。河上本以此为任信章。）

七十九章

报怨以德，（各本此句错在五十九章。）和大怨，必有余怨，安可以为善？是以圣人执左契，不责于人。（各本"不"上有"而"字。毕沅云：李约无"而"字。罗振玉云：景龙本、敦煌辛本均无"而"字。）有德司契，无德司彻。

天道无亲，常与善人。（以上王弼本题云：七十九章。河上本以此为任契章。）

八十章

小国寡民，使民有什伯之器而不用；（各本"使"下无

"民"字。罗振玉云：敦煌辛本作"使民有什伯之器"，庚本作"使有阡陌人之器"。）使民重死而不远徙；虽有舟舆，无所乘之；虽有甲兵，无所陈之；使民复结绳而用之；（"民"各本作"人"，傅奕本作"民"。罗振玉云：景龙、御注、景福、敦煌庚四本均作"民"。）甘其食，美其服，安其居，乐其俗。邻国相望，鸡犬相闻，民至老死不相往来。（以上王弼本题云：八十章。河上本以此为独立章。）

八十一章

知者不言，言者不知；（各本此二句错在第五十六章，据马叙伦说移至此。）信者不美，美者不信；（此二句两"者"字各本作"言"。俞樾云：当作"者"，与下文"善者不辩，辩者不善；知者不博，博者不知"一律。河上注云："信者如其实，不美者朴，且质"，可证古本正作"信者不美，美者不信"。）善者不辩，辩者不善；智者不博，（各本"智"作"知"。罗振玉云：敦煌辛本作"智"。柱按："知""智"古本同字。然此与上"知者不言"当异义，此句"知"字当读如今之"智"。）博者不智。是以圣人不欲见贤。（各本无"是以圣人不欲见贤"九字。柱按：第七十七章有"是以圣人为而不恃，功成而不居，其不欲见贤"三句："为而不恃，功成而不居"，二句，是五十一章错简。"是以圣人不欲见贤"当是此章错简。又而衍"其"字也。以上王弼本题云：八十一章。河上本以此为显质章。）

版权专有　侵权必究

图书在版编目（CIP）数据

老子研究 / 陈柱著 . —北京：北京理工大学出版社，2020.5
（古典·哲学时代 / 马东峰主编）
ISBN 978-7-5682-8236-9

Ⅰ.①老… Ⅱ.①陈… Ⅲ.①道家 ②《道德经》-研究
Ⅳ.① B223.15

中国版本图书馆 CIP 数据核字 (2020) 第 042651 号

出版发行 /	北京理工大学出版社有限责任公司
社　　址 /	北京市海淀区中关村南大街 5 号
邮　　编 /	100081
电　　话 /	(010) 68914775（总编室）
	(010) 82562903（教材售后服务热线）
	(010) 68948351（其他图书服务热线）
网　　址 /	http://www.bitpress.com.cn
经　　销 /	全国各地新华书店
印　　刷 /	保定市中画美凯印刷有限公司
开　　本 /	787 毫米 ×1092 毫米　1/32
印　　张 /	6
版　　次 /	2020 年 5 月第 1 版　2020 年 5 月第 1 次印刷
字　　数 /	106 千字
定　　价 /	32.00 元

责任编辑 / 朱　喜
文案编辑 / 朱　喜
责任校对 / 顾学云
责任印制 / 王美丽

图书出现印装质量问题，请拨打售后服务热线，本社负责调换